Nouveaux co

Édouard Laboulaye

Alpha Editions

This edition published in 2023

ISBN : 9789357953887

Design and Setting By
Alpha Editions
www.alphaedis.com
Email - info@alphaedis.com

Contents

A L'AGE DE QUATRE ANS

* * * * *

Quand je fouillais mes vieux grimoires,
Pour te réciter ces histoires
Que tu suivais d'un air vainqueur,
O mon fils! ma chère espérance!
Tu me rendais ma douce enfance,
Je sentais renaître mon coeur.

Maintenant l'âtre est solitaire,
Autour de moi tout est mystère,
On n'entend plus de cris joyeux.
Malgré les larmes de ta mère,
Dieu t'a rappelé de la terre,
Mon pauvre ange échappé des cieux!

La mort a dissipé mon rêve,
Et c'est en pleurant que j'achève
Ce recueil fait pour t'amuser;
Je ne vois plus ton doux sourire;
Le soir, tu ne viens plus me dire:
«Grand-père,—une histoire,—un baiser.»

Que m'importe à présent la vie,
Et ces pages que je dédie
A ton souvenir adoré?
Je n'ai plus de fils qui m'écoute
Et je reste seul sur la route,
Comme un vieux chêne foudroyé!

A vous ce livre, heureuses mères!
De ces innocentes chimères
Égayez vos fils triomphants!
Dieu vous épargne la souffrance,
Et vous laisse au moins l'espérance
De mourir avant vos enfants!

Glatigny, 25 mai 1867.

CONTES ISLANDAIS[1]

[Note 1: *Icelandic Legends*, collected by John Arnason, translated by P.J. Powell and Eirikir Magnusson. Londres, 1866, in-8°.]

Je connais des gens d'esprit, de graves et discrètes personnes, pour qui les contes de fées ne sont qu'une littérature de nourrices et de bonnes d'enfants. N'en déplaise à leur sagesse, ce dédain ne prouve que leur ignorance. Depuis que la critique moderne a retrouvé les origines de la civilisation et restitué les titres du genre humain, les contes de fées ont pris dans l'estime des savants une place considérable. De Dublin à Bombay, de l'Islande au Sénégal, une légion de curieux recherche pieusement ces médailles un peu frustes, mais qui n'ont perdu ni toute leur beauté ni tout leur prix. Qui ne connaît le nom des frères Grimm de Simrock, de Wuk Stephanovitch, d'Asbjoernsen, de Moe, d'Arnason, de Hahn et de tant d'autres? Perrault, s'il revenait au monde, serait bien étonné d'apprendre qu'il n'a jamais été plus érudit que lorsqu'il oubliait l'Académie pour publier les faits et gestes du *Chat botté*.

Aujourd'hui que chaque pays reconstitue son trésor de contes et de légendes, il est visible que ces récits qu'on trouve partout, et qui partout sont les mêmes, remontent à la plus haute antiquité. La pièce la plus curieuse que nous aient livrée les papyrus égyptiens, grâce à mon savant confrère, M. de Rougé, c'est un conte qui rappelle l'aventure de Joseph. Qu'est-ce que *l'Odyssée*, sinon le recueil des fables qui charmaient la Grèce au berceau? Pourquoi Hérodote est-il à la fois le plus exact des voyageurs et le moins sûr des historiens, sinon parce qu'à l'exposé sincère de tout ce qu'il a vu, il mêle sans cesse les merveilles qu'on lui a contées? La louve de Romulus, la fontaine d'Égérie, l'enfance de Servius Tullius, les pavots de Tarquin, la folie de Brutus, autant de légendes qui ont séduit la crédulité des Romains. Le monde a eu son enfance, que nous appelons faussement l'antiquité; c'est alors que l'esprit humain a créé ces récits qui édifiaient les plus sages et qui, aujourd'hui que l'humanité est vieille, n'amusent plus que les enfants.

Mais, chose singulière et qu'on ne pouvait prévoir, ces contes ont une filiation, et, quand on la suit, on est toujours ramené en Orient. Si quelque curieux veut s'assurer de ce fait, qui aujourd'hui n'est plus contestable, je le renvoie au savant commentaire du *Pancha-Tantra*, qui fait tant d'honneur à l'érudition et à la sagacité de M. Benfey. Contes de fées, légendes, fables, fabliaux, nouvelles, tout vient de l'Inde; c'est elle qui fournit la trame de ces récits gracieux que chaque peuple brode à son goût. C'est toujours l'Orient qui donne le thème primitif; l'Occident ne tire de son fonds que les variations.

Il y a là un fait considérable pour l'histoire de l'esprit humain. Il semble que chaque peuple ait reçu de Dieu un rôle dont il ne peut sortir. La Grèce a eu en partage le sentiment et le culte de la beauté; les Romains, cette race brutale, née pour le malheur du monde, ont créé l'ordre mécanique, l'obéissance extérieure et le règne de l'administration; l'Inde a eu pour son lot l'imagination: c'est pourquoi son peuple est toujours resté enfant. C'est là sa faiblesse; mais, en revanche, elle seule a créé ces poèmes du premier âge qui ont séché tant de larmes et fait battre pour la première fois tant de coeurs.

Par quel chemin les contes ont-ils pénétré en Occident? Se sont-ils d'abord transformés chez les Persans? Les devons-nous aux Arabes, aux Juifs, ou simplement aux marins de tous pays qui les ont partout portés avec eux, comme le Simbad des *Mille et une Nuits*? C'est là une étude qui commence, et qui donnera quelque jour des résultats inattendus. En rapprochant du *Pentamerone* napolitain les contes grecs que M. de Hahn a publiés il y a deux ans, il est déjà visible que la Méditerranée a eu son cycle de contes, où figurent Cendrillon, le Chat botté et Psyché. Cette dernière fable a joui d'une popularité sans bornes. Depuis le récit d'Apulée jusqu'au conte de *la Belle et la Bête*, l'histoire de Psyché prend toutes les formes. Le héros s'y cache le plus souvent sous la peau d'un serpent, quelquefois même sous celle d'un porc (*Il Re Porco* de Straparole, anobli et transfiguré par Mme d'Aulnoy en *Prince Marcassin*), mais le fonds est toujours reconnaissable. Rien n'y manque, ni les méchantes soeurs que ronge l'envie, ni les agitations de la jeune femme partagée entre la tendresse et la curiosité, ni les rudes épreuves qui attendent la pauvre enfant. Est-ce là un conte oriental? Le nom de Psyché, qui, en grec, veut dire l'*âme*, ferait croire à une allégorie hellénique; mais, ici comme toujours, si à force de grâce et de poésie la Grèce renouvelle tout ce qu'elle touche, l'invention ne lui appartient pas. La légende se trouve en Orient, d'où elle a passé dans les contes de tous les peuples[1]; souvent même elle est retournée; c'est la femme qui se cache sous une peau de singe ou d'oiseau, c'est l'homme dont la curiosité est punie. Qu'est-ce que *Peau d'âne*, sinon une variation de cette éternelle histoire avec laquelle depuis tant de siècles on berce les grands et les petits enfants?

[Note 1: Benfey, *Einleitung*, § 92.]

En ai-je dit assez pour faire sentir aux hommes sérieux qu'on peut aimer les contes de fées sans déchoir? Si, pour le botaniste, il n'est pas d'herbe si vulgaire, de mousse si petite qui n'offre de l'intérêt parce qu'elle explique quelque loi de la nature, pourquoi dédaignerait-on ces légendes familières qui ajoutent une page des plus curieuses à l'histoire de l'esprit humain?

La philosophie y trouve aussi son compte. Nulle part il n'est aussi aisé d'étudier sur le vif le jeu de la plus puissante de nos facultés, celle qui, en nous affranchissant de l'espace et du temps, nous tire de notre fange et nous ouvre l'infini. C'est dans les contes de fées que l'imagination règne sans partage, c'est là qu'elle établit son idéal de justice, et c'est par là que les contes, quoi qu'on en dise, sont une lecture morale.—Ils ne sont pas vrais, dit-on.—Sans doute, c'est pour cela qu'ils sont moraux. Mères qui aimez vos fils, ne les mettez pas trop tôt à l'étude de l'histoire; laissez-les rêver quand ils sont jeunes. Ne fermez pas leur âme à ce premier souffle de poésie. Rien ne fait peur comme un enfant raisonnable et qui ne croit qu'à ce qu'il touche. Ces sages de dix ans sont à vingt des sots, ou, ce qui est pis encore, des égoïstes. Laissez-les s'indigner contre Barbe-Bleue, pour qu'un jour il leur reste un peu de haine contre l'injustice et la violence, alors même qu'elle ne les atteint pas.

Parmi ces recueils de contes, il en est peu qui, pour l'abondance et la naïveté, rivalisent avec ceux de Norwège et d'Islande. On dirait que, reléguées dans un coin du monde, ces vieilles traditions s'y sont conservées plus pures et plus complètes. Il ne faut pas leur demander la grâce et la mignardise des contes italiens; elles sont rudes et sauvages, mais par cela même elles ont mieux gardé la saveur de l'antiquité.

Dans les *Contes islandais* comme dans l'*Odyssée*, ce qu'on admire par-dessus tout, c'est la force et la ruse, mais la force au service de la justice, et la ruse employée à tromper les méchants. Ulysse aveuglant Polyphème et raillant l'impuissance et la fureur du monstre est le modèle de tous ces bannis dont les exploits charment les longues veillées de la Norwège et de l'Islande. Il n'y a pas moins de faveur pour ces voleurs adroits qui entrent partout, voient tout, prennent tout et sont au fond les meilleurs fils du monde. Tout cela est visiblement d'une époque où la force brutale règne sur la terre, où l'esprit représente le droit et la liberté.

J'ai choisi deux de ces histoires: la première, qui rappelle de loin la folie de Brutus, nous reporte à la vengeance du sang, vengeance qui n'est point particulière aux races germaniques, mais qui, chez elles, a gardé sa forme la plus rude. La légende de Briam, c'est la loi salique en action; il est évident que, pour nos aïeux, au temps de Clovis, le fils le plus vertueux et le guerrier le plus admirable, c'est celui qui, par force ou par ruse, venge son père assassiné. Que Briam ait ou non vécu, il n'importe guère; son histoire est vraie, puisqu'elle répond au sentiment le plus vivace du coeur humain. Le christianisme nous a enseigné le pardon, la sécurité des lois modernes nous a habitués à remettre notre vengeance à l'État; mais l'homme naturel n'a point changé: il semble qu'une corde jusque-là muette vibre dans son coeur quand la magie d'un conte ressuscite ces passions mortes et réveille un temps évanoui.

* * * * *

I

L'HISTOIRE DE BRIAM LE FOU

I

Au bon pays d'Islande, il y avait une fois un roi et une reine qui gouvernaient un peuple fidèle et obéissant. La reine était douce et bonne; on n'en parlait guère! mais le roi était avide et cruel: aussi tous ceux qui en avaient peur célébraient-ils à l'envi ses vertus et sa bonté. Grâce à son avarice, le roi avait des châteaux, des fermes, des bestiaux, des meubles, des bijoux, dont il ne savait pas le compte; mais plus il en avait, plus il en voulait avoir. Riche ou pauvre, malheur à qui lui tombait sous la main.

Au bout du parc qui entourait le château royal, il y avait une chaumière, où vivait un vieux paysan avec sa vieille femme. Le ciel leur avait donné sept enfants; c'était toute leur richesse. Pour soutenir cette nombreuse famille, les bonnes gens n'avaient qu'une vache, qu'on appelait Bukolla. C'était une bête admirable. Elle était noire et blanche, avec de petites cornes et de grands yeux tristes et doux. La beauté n'était que son moindre mérite; on la trayait trois fois par jour, et elle ne donnait jamais moins de quarante pintes de lait. Elle était si habituée à ses maîtres, qu'à midi elle revenait d'elle-même au logis, traînant ses pis gonflés, et mugissant de loin pour qu'on vînt à son secours. C'était la joie de la maison.

Un jour que le roi allait en chasse, il traversa le pâturage où paissaient les vaches du château; le hasard voulut que Bukolla se fût mêlée au troupeau royal:

—Quel bel animal j'ai là! dit le roi.

—Sire, répondit le pâtre, cette bête n'est point à vous; c'est Bukolla, la vache du vieux paysan qui vit dans cette masure là-bas.

—Je la veux, répondit le roi.

Tout le long de la chasse le prince ne parla que de Bukolla. Le soir, en rentrant, il appela son chef des gardes, qui était aussi méchant que lui.

—Va trouver ce paysan, lui dit-il, et amène-moi à l'instant même la vache qui me plaît.

La reine le pria de n'en rien faire:

—Ces pauvres gens, disait-elle, n'ont que cette bête pour tout bien; la leur prendre, c'est les faire mourir de faim.

—Il me la faut, dit le roi; par achat, par échange ou par force, il n'importe. Si dans une heure Bukolla n'est pas dans mes étables, malheur à qui n'aura pas fait son devoir!

Et il fronça le sourcil de telle sorte, que la reine n'osa plus ouvrir la bouche, et que le chef des gardes partit au plus vite avec une bande d'estafiers.

Le paysan était devant sa porte, occupé à traire sa vache, tandis que tous les enfants se pressaient autour d'elle et la caressaient. Quand il eut reçu le message du prince, le bonhomme secoua la tête et dit qu'il ne céderait Bukolla à aucun prix.—Elle est à moi, ajouta-t-il, c'est mon bien, c'est ma chose, je l'aime mieux que toutes les vaches et que tout l'or du roi.

Prières ni menaces ne le firent changer d'avis.

L'heure avançait; le chef des gardes craignait le courroux du maître; il saisit le licou de Bukolla pour l'entraîner; le paysan se leva pour résister, un coup de hache l'étendit mort par terre. A cette vue, tous les enfants se mirent à sangloter, hormis Briam, l'aîné, qui resta en place, pâle et muet.

Le chef des gardes savait qu'en Islande le sang se paye avec le sang, et que tôt ou tard le fils venge le père. Si l'on ne veut pas que l'arbre repousse, il faut arracher du sol jusqu'au dernier rejeton. D'une main furieuse, le brigand saisit un des enfants qui pleuraient:—Où souffres-tu? lui dit-il.—Là, répondit l'enfant en montrant son coeur; aussitôt le scélérat lui enfonça un poignard dans le sein. Six fois il fit la même question, six fois il reçut la même réponse, et six fois il jeta le cadavre du fils sur le cadavre du père.

Et cependant Briam, l'oeil égaré, la bouche ouverte, sautait après les mouches qui tournaient en l'air.

—Et toi, drôle, où souffres-tu? lui cria le bourreau.

Pour toute réponse, Briam lui tourna le dos, et, se frappant le derrière avec les deux mains, il chanta:

C'est là que ma mère, un jour de colère,
D'un pied courroucé m'a si fort tancé,
Que j'en suis tombé la face par terre,
Blessé par devant, blessé par derrière,
Les reins tout meurtris et le nez cassé!

Le chef des gardes courut après l'insolent; mais ses compagnons l'arrêtèrent.

—Fi! lui dirent-ils, on égorge le louveteau après le loup, mais on ne tue pas un fou; quel mal peut-il faire?

Et Briam se sauva, en chantant et en dansant.

Le soir, le roi eut le plaisir de caresser Bukolla et ne trouva point qu'il l'eût payée trop cher. Mais, dans la pauvre chaumière, une vieille femme en pleurs demandait justice à Dieu. Le caprice d'un prince lui avait enlevé en une heure son mari et ses six enfants. De tout ce qu'elle avait aimé, de tout ce qui la faisait vivre, il ne lui restait plus qu'un misérable idiot.

II

Bientôt, à vingt lieues à la ronde, on ne parla plus que de Briam et de ses extravagances. Un jour il voulait mettre un clou à la roue du soleil, le lendemain il jetait en l'air son bonnet pour en coiffer la lune.

Le roi, qui avait de l'ambition, voulut avoir un fou à sa cour, pour ressembler de loin aux grands princes du continent. On fit venir Briam, on lui mit un bel habit de toutes couleurs. Une jambe bleue, une jambe rouge, une manche verte, une manche jaune, un plastron orange; c'est dans ce costume de perroquet que Briam fut chargé d'amuser l'ennui des courtisans. Caressé quelquefois et plus souvent battu, le pauvre insensé souffrait tout sans se plaindre. Il passait des heures entières à causer avec les oiseaux ou à suivre l'enterrement d'une fourmi. S'il ouvrait la bouche, c'était pour dire quelque sottise: grand sujet de joie pour ceux qui n'en souffraient pas.

Un jour qu'on allait servir le dîner, le chef des gardes entra dans la cuisine du château. Briam, armé d'un couperet, hachait des fanes de carottes en guise de persil. La vue de ce couteau fit peur au meurtrier; le soupçon lui vint au coeur.

—Briam, dit-il, où est ta mère?

—Ma mère? répondit l'idiot; elle est là qui bout. Et du doigt il indiqua un énorme pot-au-feu, où cuisait, en *olla podrida*, tout le dîner royal.

—Sotte bête! dit le chef des gardes en montrant la marmite, ouvre les yeux: qu'est-ce que cela?

—C'est ma mère! c'est celle qui me nourrit! cria Briam. Et, jetant son couperet, il sauta sur le fourneau, prit dans ses bras le pot-au-feu tout noir de fumée, et se sauva dans les bois. On courut après lui; peine perdue. Quand on l'attrapa, tout était brisé, renversé, gâté. Ce soir-là, le roi dîna d'un morceau de pain; sa seule consolation fut de faire fouetter Briam par les marmitons du château.

Briam, tout écloppé, rentra dans sa chaumière et conta à sa mère ce qui lui était arrivé.

—Mon fils, mon fils, dit la pauvre femme, ce n'est pas ainsi qu'il fallait parler.

—Que fallait-il dire, ma mère?

—Mon fils, il fallait dire: Voici la marmite que chaque jour emplit la générosité du roi.

—Bien, ma mère, je le dirai demain.

Le lendemain, la cour était réunie. Le roi causait avec son majordome. C'était un beau seigneur, fort expert en bonne chère, gros, gras et rieur. Il avait une grosse tête chauve, un gros cou, un ventre si énorme qu'il ne pouvait croiser les bras, et deux petites jambes qui soutenaient à grand'peine ce vaste édifice.

Tandis que le majordome parlait au roi, Briam lui frappa hardiment sur le ventre:

—Voici, dit-il, la marmite que tous les jours emplit la générosité du roi.

S'il fut battu, il n'est pas besoin de le dire; le roi était furieux, la cour aussi; mais, le soir, dans tout le château, on se répétait à l'oreille que les fous, sans le savoir, disent quelquefois de bonnes vérités.

Quand Briam, tout écloppé, rentra dans sa chaumière, il conta à sa mère ce qui lui était arrivé.

—Mon fils, mon fils, dit la pauvre femme, ce n'est pas ainsi qu'il fallait parler.

—Que fallait-il dire, ma mère?

—Mon fils, il fallait dire: Voici le plus aimable et le plus fidèle des courtisans.

—Bien, ma mère, je le dirai demain.

Le lendemain, le roi tenait un grand lever, et, tandis que ministres, officiers, chambellans, beaux messieurs et belles dames se disputaient son sourire, il agaçait une grosse chienne épagneule qui lui arrachait des mains un gâteau.

Briam alla s'asseoir aux pieds du roi, et, prenant par la peau du cou le chien qui hurlait en faisant une horrible grimace:

—Voici, cria-t-il, le plus aimable et le plus fidèle des courtisans.

Cette folie fit sourire le roi; aussitôt les courtisans rirent à gorge déployée; ce fut à qui montrerait ses dents. Mais, dès que le roi fut sorti, une pluie de coups de pieds et de coups de poings tomba sur le pauvre Briam, qui eut grand'peine à se tirer de l'orage.

Quand il eut raconté à sa mère ce qui lui était arrivé:

—Mon fils, mon fils, dit la pauvre femme, ce n'est pas ainsi qu'il fallait parler.

—Que fallait-il dire, ma mère?

—Mon fils, il fallait dire: Voici celle qui mangerait tout si on la laissait faire.

—Bien, ma mère, je le dirai demain.

Le lendemain était jour de fête, la reine parut au salon dans ses plus beaux atours. Elle était couverte de velours, de dentelles, de bijoux; son collier seul valait l'impôt de vingt villages. Chacun admirait tant d'éclat.

—Voici, cria Briam, celle qui mangerait tout, si on la laissait faire.

C'en était fait de l'insolent si la reine n'eût pris sa défense.

—Pauvre fou, lui dit-elle, va-t'en, qu'on ne te fasse pas de mal. Si tu savais combien ces bijoux me pèsent, tu ne me reprocherais pas de les porter.

Quand Briam rentra dans sa chaumière, il conta à sa mère ce qui lui était arrivé.

—Mon fils, mon fils, dit la pauvre femme, ce n'est pas ainsi qu'il fallait parler.

—Que fallait-il dire, ma mère?

—Mon fils, il fallait dire: Voici l'amour et l'orgueil du roi.

—Bien, ma mère, je le dirai demain.

Le lendemain, le roi allait à la chasse. On lui amena sa jument favorite; il était en selle et disait négligemment adieu à la reine, quand Briam se mit à frapper le cheval à l'épaule:

—Voici, cria-t-il, l'amour et l'orgueil du roi.

Le prince regarda Briam de travers; sur quoi le fou se sauva à toutes jambes. Il commençait à sentir de loin l'odeur des coups de bâton.

En le voyant rentrer tout haletant:

—Mon fils, dit la pauvre mère, ne retourne pas au château; ils te tueront.

—Patience, ma mère; on ne sait ni qui meurt ni qui vit.

—Hélas! reprit la mère en pleurant, ton père est heureux d'être mort; il ne voit ni ta honte ni la mienne.

—Patience, ma mère; les jours se suivent et ne se ressemblent pas.

III

Il y avait déjà près de trois mois que le père de Briam reposait dans la tombe, au milieu de ses six enfants, quand le roi donna un grand festin aux principaux officiers de la cour. A sa droite il avait le chef des gardes, à sa gauche était le gros majordome. La table était couverte de fruits, de fleurs et de lumières; on buvait dans des calices d'or les vins les plus exquis. Les têtes s'échauffaient, on parlait haut, et déjà plus d'une querelle avait commencé. Briam, plus fou que jamais, versait le vin à la ronde et ne laissait pas un verre vide. Mais, tandis que d'une main il tenait le flacon doré, de l'autre il clouait deux à deux les habits des convives, si bien que personne ne pouvait se lever sans entraîner son voisin.

Trois fois il avait recommencé ce manège, quand le roi, animé par la chaleur et le vin, lui cria:

—Fou, monte sur la table, amuse-nous par tes chansons.

Briam sauta lestement au milieu des fruits et des fleurs, puis d'une voix sourde il se mit à chanter:

Tout vient à son tour,
Le vent et la pluie,
La nuit et le jour,
La mort et la vie,
Tout vient à son tour.

—Qu'est-ce que ce chant lugubre? dit le roi. Allons, fou, fais-moi rire, ou je te fais pleurer!

Briam regarda le prince avec des yeux farouches, et d'une voix saccadée il reprit:

Tout vient à son tour,
Bonne ou male chance,
Le destin est sourd,
Outrage et vengeance,
Tout vient à son tour.

—Drôle! dit le roi, je crois que tu me menaces. Je vais te châtier comme il faut.

Il se leva, et si brusquement qu'il enleva avec lui le chef des gardes. Surpris, ce dernier, pour se retenir, se pencha en avant et s'accrocha au bras et au cou du roi.

—Misérable! cria le prince, oses-tu porter la main sur ton maître?

Et, saisissant son poignard, le roi allait en frapper l'officier quand celui-ci, tout entier à sa défense, d'une main saisit le bras du roi, et de l'autre lui enfonça sa dague dans le cou. Le sang jaillit à gros bouillons; le prince tomba, entraînant dans ses dernières convulsions son meurtrier avec lui.

Au milieu des cris et du tumulte, le chef des gardes se releva promptement, et, tirant son épée:

—Messieurs, dit-il, le tyran est mort. Vive la liberté! Je me fais roi et j'épouse la reine. Si quelqu'un s'y oppose, qu'il parle, je l'attends.

—*Vive le roi!* crièrent tous les courtisans; il y en eut même quelques-uns qui, profitant de l'occasion, tirèrent une pétition de leur poche. La joie était universelle et touchait au délire, quand tout à coup, l'oeil terrible et la hache au poing, Briam parut devant l'usurpateur.

[Illustration: En ce moment, la reine entra tout effarée et se jeta aux pieds de Briam.]

—Chien, fils de chien, lui dit-il, quand tu as tué les miens, tu n'as pensé ni à Dieu ni aux hommes. A nous deux, maintenant!

Le chef des gardes essaya de se mettre en défense. D'un coup furieux Briam lui abattit le bras droit, qui pendit comme une branche coupée.

—Et maintenant, cria Briam, si tu as un fils, dis-lui qu'il te venge, comme Briam le fou venge aujourd'hui son père.

Et il lui fendit la tête en deux morceaux.

—*Vive Briam!* crièrent les courtisans; *vive notre libérateur!*

En ce moment, la reine entra tout effarée et se jeta aux pieds du fou en l'appelant son vengeur. Briam la releva, et, se mettant auprès d'elle en brandissant sa hache sanglante, il invita tous les officiers à prêter serment à leur légitime souveraine.

—*Vive la reine!* crièrent tous les assistants. La joie était universelle et touchait au délire.

La reine voulait retenir Briam à la cour; il demanda à retourner dans sa chaumière, et ne voulut pour toute récompense que le pauvre animal, cause innocente de tant de maux. Arrivée à la porte de la maison, la vache se mit à appeler en mugissant ceux qui ne pouvaient plus l'entendre. La pauvre femme sortit en pleurant.

—Mère, lui dit Briam, voici Bukolla, et vous êtes vengée.

IV

Ainsi finit l'histoire. Que devint Briam? Nul ne le sait. Mais dans tout le pays on montre encore les ruines de la masure où habitaient Briam et ses frères, et les mères disent aux enfants: «C'est là que vivait celui qui a vengé son père et consolé sa mère.» Et les enfants répondent: «Nous ferions comme lui.»

V

L'autre histoire est une histoire de voleurs. Aujourd'hui de pareils récits ont pour nous quelque chose de choquant, nous avons peu d'estime pour cette adresse qui mène aux galères. Il n'en était pas ainsi chez les peuples primitifs. Hérodote ne se fait faute de nous réciter tout au long une histoire égyptienne qui se retrouve en Orient et qui n'est visiblement qu'un conte de fées. Au livre d'Euterpe[1] on peut voir quel moyen plus que bizarre emploie le roi Rhampsinite pour saisir l'adroit voleur qui lui a pillé son trésor, et comment, trois fois trompé, comme roi, comme justicier et comme père, il ne trouve rien de mieux à faire que de prendre pour gendre ce brigand audacieux et rusé. «Rhampsinite, dit l'historien, lui fit un grand accueil et lui donna sa fille, comme au plus habile de tous les hommes, puisque, les Égyptiens étant supérieurs à tous les autres peuples, il s'était montré supérieur à tous les Égyptiens.» On voit que la vanité nationale est de même date que les contes des fées.

[Note 1: Hérodote, liv. II, chap. cxxi.]

Ces histoires de voleurs abondent dans les recueils. Sous le nom du *Maître voleur*, M. Asbjoernsen a publié un conte norvégien qui ressemble beaucoup à celui qu'on va lire[1]. Ce qui frappe dans tous ces récits, c'est l'admiration naïve du conteur pour les exploits de son héros. L'esprit humain a passé par cette étape depuis longtemps abandonnée. Les Grecs admiraient Ulysse, qui n'était pas à demi voleur; les Romains adoraient Mercure. Les Juifs, fuyant l'Egypte, ne se faisaient faute de suivre le conseil de Moïse et d'emprunter aux Égyptiens des vases d'argent, des vases d'or et des habits qu'ils ne devaient jamais rendre. «Or, dit la Bible[2], le Seigneur rendit les Égyptiens favorables à son peuple, afin qu'ils donnassent aux enfants d'Israël ce qu'ils demandaient. Ainsi ils dépouillèrent les Égyptiens.» Le procédé révolte notre délicatesse; il est probable que les Juifs s'en glorifiaient comme d'une adresse héroïque. Apprenons par là à ne pas toujours mesurer le monde à la mesure de nos idées d'aujourd'hui. Nos aïeux, il y a vingt ou trente siècles, admiraient les voleurs, nos pères admiraient les Heiduques et les Klephtes, nous admirons encore les conquérants; qui sait ce que penseront de nous nos enfants? Un jour peut-être ils se riront de notre barbarie, comme nous de celle de nos pères, et ils n'auront pas tort. Vienne le jour où cette gloire si creuse, et qui coûte si cher, ne sera plus qu'un conte de fées!

[Note 1: Il a été traduit par Dasent, dans ses *Popular Tales from The Norse*. Edimbourg, 1859.]

[Note 2: Exode, chap. xii, vers. 36.]

II

LE PETIT HOMME GRIS

Au temps jadis (je parle de trois ou quatre cents ans), il y avait à Skalholt, en Islande, un vieux paysan qui n'était pas plus riche d'esprit que d'avoir. Un jour que le bonhomme était à l'église, il entendit un beau sermon sur la charité.—«Donnez, mes frères, donnez, disait le prêtre; le Seigneur vous le rendra au centuple.» Ces paroles, souvent répétées, entrèrent dans la tête du paysan et y brouillèrent le peu qu'il avait de cervelle. A peine rentré chez lui, il se mit à couper les arbres de son jardin, à creuser le sol, à charrier des pierres et du bois, comme s'il allait construire un palais.

—Que fais-tu là, mon pauvre homme? lui demanda sa femme.

—Ne m'appelle plus mon pauvre homme, dit le paysan d'un ton solennel; nous sommes riches, ma chère femme, ou du moins nous allons l'être. Dans quinze jours je vais donner ma vache…

—Notre seule ressource! dit la femme; nous mourrons de faim!

—Tais-toi, ignorante, reprit le paysan; on voit bien que tu n'entends rien au latin de M. le curé. En donnant notre vache, nous en recevrons cent comme récompense; M. le curé l'a dit, c'est parole d'Évangile. Je logerai cinquante bêtes dans cette étable que je construis, et, avec le prix des cinquante autres, j'achèterai assez de pré pour nourrir notre troupeau en été comme en hiver. Nous serons plus riches que le roi.

Et, sans s'inquiéter des prières ni des reproches de sa femme, notre maître fou se mit à bâtir son étable, au grand étonnement des voisins.

L'oeuvre achevée, le bonhomme passa une corde au cou de sa vache et la mena tout droit chez le curé. Il le trouva qui causait avec deux étrangers qu'il ne regarda guère, tant il était pressé de faire son cadeau et d'en recevoir le prix. Qui fut étonné de cette charité de nouvelle espèce, ce fut le pasteur. Il fit un long discours à cette brebis imbécile, pour lui démontrer que Notre-Seigneur n'avait jamais parlé que de récompenses spirituelles; peine perdue, le paysan répétait toujours: «Vous l'avez dit, monsieur le curé, vous l'avez dit.» Las enfin de raisonner avec une brute pareille, le pasteur entra dans une sainte colère et ferma sa porte au nez du paysan, qui resta dans la rue tout ébahi, répétant toujours: «Vous l'avez dit, monsieur le curé, vous l'avez dit.»

Il fallut reprendre le chemin du logis; ce n'était pas chose facile. On était au printemps, la glace fondait, le vent soulevait la neige en tourbillons. A chaque pas l'homme glissait, la vache beuglait et refusait d'avancer. Au bout d'une heure, le paysan avait perdu son chemin et craignait de perdre la vie. Il s'arrêta tout perplexe, maudissant sa mauvaise fortune et ne sachant plus que faire de l'animal qu'il traînait. Tandis qu'il songeait tristement, un homme chargé d'un grand sac s'approcha de lui et lui demanda ce qu'il faisait là avec sa vache, et par un si mauvais temps.

Quand le paysan lui eut raconté sa peine: «Mon brave homme, lui dit l'étranger, si j'ai un conseil à vous donner, c'est de faire un échange avec moi. Je demeure près d'ici; cédez-moi votre vache que vous ne ramènerez jamais chez vous, et prenez-moi ce sac; il n'est pas trop lourd, et tout ce qu'il contient est bon: c'est de la chair et des os.»

Le marché fait, l'étranger emmena la vache avec lui; le paysan chargea sur son dos le sac, qu'il trouva terriblement pesant. Une fois rentré au logis, comme il craignait les reproches et les railleries de sa femme, il conta tout au long les dangers qu'il avait courus, et comment, en homme habile, il avait échangé une vache qui allait mourir contre un sac qui contenait des trésors. En écoutant cette belle histoire, la femme commença à montrer les dents; le mari la pria de garder pour elle sa mauvaise humeur, et de mettre dans l'âtre son plus grand pot-au-feu.—Tu verras ce que je t'apporte, lui répétait-il; attends un peu, tu me remercieras.

Disant cela, il ouvrit le sac; et voilà que de cette profondeur sort un petit homme tout habillé de gris comme une souris.

—Bonjour, braves gens, dit-il avec la fierté d'un prince! Ah ça, j'espère qu'au lieu de me faire bouillir vous allez me servir à manger. Cette petite course m'a donné un grand appétit.

Le paysan tomba sur son escabeau, comme s'il était foudroyé.

—Là, dit la femme, j'en étais sûre. Voici une nouvelle folie. Mais d'un mari que peut-on attendre sinon quelque sottise? Monsieur nous a perdu la vache qui nous faisait vivre, et maintenant que nous n'avons plus rien, monsieur nous apporte une bouche de plus à nourrir! Que n'es-tu resté sous la neige, toi, ton sac et ton trésor!

La bonne dame parlerait encore, si le petit homme gris ne lui avait remontré par trois fois que les grands mots n'emplissent pas la marmite, et que le plus sage était d'aller en chasse et de chercher quelque gibier.

Il sortit aussitôt, malgré la nuit, le vent et la neige, et revint au bout de quelque temps avec un gros mouton.

—Tenez, dit-il, tuez-moi cette bête, et ne nous laissons pas mourir de faim.

Le vieillard et sa femme regardèrent de travers le petit homme et sa proie. Cette aubaine, tombée des nues, sentait le vol d'une demi-lieue. Mais, quand la faim parle, adieu les scrupules! Légitime ou non, le mouton fut dévoré à belles dents.

Dès ce jour, l'abondance régna dans la demeure du paysan. Les moutons succédaient aux moutons, et le bonhomme, plus crédule que jamais, se demandait s'il n'avait pas gagné au change, quand, au lieu des cent vaches qu'il attendait, le ciel lui avait envoyé un pourvoyeur aussi habile que le petit homme gris.

Toute médaille a son revers. Tandis que les moutons se multipliaient dans la maison du vieillard, ils diminuaient à vue d'oeil dans le troupeau royal, qui paissait aux environs. Le maître berger, fort inquiet, prévint le roi que, depuis quelque temps, quoiqu'on redoublât de surveillance, les plus belles têtes du troupeau disparaissaient l'une après l'autre. Assurément quelque habile voleur était venu se loger dans le voisinage. Il ne fallut pas longtemps pour savoir qu'il y avait dans la cabanne du paysan un nouveau venu, tombé on ne sait d'où et que personne ne connaissait. Le roi ordonna aussitôt qu'on lui amenât l'étranger. Le petit homme gris partit sans sourciller; mais le paysan et sa femme commencèrent à sentir quelques remords en songeant qu'on pendait à la même potence les receleurs et les voleurs.

Quand le petit homme gris parut à la cour, le roi lui demanda si par hasard il n'avait pas entendu dire qu'on avait volé cinq gros moutons au troupeau royal.

—Oui, Majesté, répondit le petit homme, c'est moi qui les ai pris.

—Et de quel droit? dit le prince.

—Majesté, répondit le petit homme, je les ai pris parce qu'un vieillard et sa femme souffraient de la faim, tandis que vous, roi, vous nagez dans l'abondance et ne pouvez même pas consommer la dîme de vos revenus. Il m'a semblé juste que ces bonnes gens vécussent de votre superflu plutôt que de mourir de misère, tandis que vous ne savez que faire de votre richesse.

Le roi resta stupéfait de tant de hardiesse; puis, regardant le petit homme d'une façon qui n'annonçait rien de bon:

—A ce que je vois, lui dit-il, ton principal talent, c'est le vol.

Le petit homme s'inclina avec une orgueilleuse modestie.

—Fort bien, dit le roi. Tu mériterais d'être pendu, mais je te pardonne, à la condition que demain, à pareille heure, tu auras pris à mes pâtres mon taureau noir, que je leur fais soigneusement garder.

—Majesté, répondit le petit homme gris, ce que vous me demandez est chose impossible. Comment voulez-vous que je trompe une pareille vigilance?

—Si tu ne le fais, reprit le roi, tu seras pendu.

Et, d'un signe de main, il congédia notre voleur, à qui chacun répétait tout bas: Pendu! pendu! pendu!

Le petit homme gris retourna dans la cabane, où il fut tendrement reçu par le vieillard et sa femme. Mais il ne leur dit rien, sinon qu'il avait besoin d'une corde et qu'il partirait le lendemain au point du jour. On lui donna l'ancien licou de la vache; sur quoi il alla se coucher et dormit en paix.

Aux premières lueurs de l'aurore, le petit homme gris partit avec sa corde. Il alla dans la forêt, sur le chemin où devaient passer les pâtres du roi, et, choisissant un gros chêne bien en vue, il se pendit par le cou à la plus grosse branche. Il avait eu grand soin de ne pas faire un noeud coulant.

Bientôt après, deux pâtres arrivèrent, escortant le taureau noir.

—Ah! dit l'un d'eux, voilà notre fripon qui a reçu sa récompense. Cette fois, du moins, il n'a pas volé son licou. Adieu, mon drôle, ce n'est pas toi qui prendras le taureau du roi.

Dès que les pâtres furent hors de vue, le petit homme gris descendit de l'arbre, prit un chemin de traverse et s'accrocha de nouveau à un gros chêne près duquel passait la route. Qui fut surpris à l'aspect de ce pendu? ce furent les pâtres du roi.

—Qu'est-ce là? dit l'un d'eux; ai-je la berlue? Voilà le pendu de là-bas qui se trouve ici!

—Que tu es bête! dit l'autre. Comment veux-tu qu'un homme soit pendu en deux places à la fois? C'est un second voleur, voilà tout.

—Je te dis que c'est le même, reprit le premier berger; je le reconnais à son habit et à sa grimace.

—Et moi, reprit le second, qui était un esprit fort, je te parie que c'en est un autre.

La gageure acceptée, les deux pâtres attachèrent le taureau du roi à un arbre et coururent au premier chêne. Mais, tandis qu'ils couraient, le petit homme gris sauta à bas de son gibet et mena tout doucement le taureau chez le paysan. Grande joie dans la maison; on mit la bête à l'étable en attendant qu'on la vendît.

Quand les deux pâtres rentrèrent, le soir, au château, ils avaient l'oreille si basse et l'air si déconfit, que le roi vit de suite qu'on s'était joué de lui. Il envoya chercher le petit homme gris, qui se présenta avec la sérénité d'un grand coeur.

—C'est toi qui m'as volé mon taureau, dit le roi.

—Majesté, répondit le petit homme, je ne l'ai fait que pour vous obéir.

—Fort bien, dit le roi; voici dix écus d'or pour le rachat de mon taureau; mais, si dans deux jours tu n'as pas volé les draps de mon lit tandis que j'y couche, tu seras pendu.

[Illustration: Voilà le pendu de là-bas qui se trouve ici!]

—Majesté, dit le petit homme, ne me demandez pas une pareille chose. Vous êtes trop bien gardé pour qu'un pauvre homme tel que moi puisse seulement approcher du château.

—Si tu ne le fais pas, dit le roi, j'aurai le plaisir de te voir pendu.

Le soir venu, le petit homme gris, qui était rentré dans la chaumière, prit une longue corde et un panier. Dans ce panier garni de mousse, il plaça avec toute sa nichée une chatte qui venait d'avoir ses petits; puis, marchant au milieu de la plus sombre des nuits, il se glissa dans le château et monta sur le toit sans que personne l'aperçût.

Entrer dans un grenier, scier proprement le plancher, et, par cette lucarne, descendre dans la chambre du roi, fut pour notre habile homme l'affaire de peu de temps. Une fois là, il ouvrit délicatement la couche royale et y plaça la chatte et ses petits; puis, il borda le lit avec soin, et, s'accrochant à la corde, il s'assit sur le baldaquin. C'est de ce poste élevé qu'il attendit les événements.

Onze heures sonnaient à l'horloge du palais, quand le roi et la reine entrèrent dans leur appartement. Une fois déshabillés, tous deux se mirent à genoux et firent leur prière, puis le roi éteignit la lampe, la reine entra dans le lit.

Tout d'un coup elle poussa un cri et se jeta au milieu de la chambre.

—Êtes-vous folle? dit le roi. Allez-vous donner l'alarme au château?

—Mon ami, dit la reine, n'entrez pas dans ce lit; j'ai senti une chaleur brûlante, et mon pied a touché quelque chose de velu.

—Pourquoi ne pas dire de suite que le diable est dans mon lit? reprit le roi en riant de pitié. Toutes les femmes ont un coeur de lièvre et une tête de linotte.

Sur quoi, en véritable héros, il s'enfonça bravement sous la couverture et sauta aussitôt en hurlant comme un damné, traînant après lui la chatte qui lui avait enfoncé ses quatre griffes dans le mollet.

Aux cris du roi, la sentinelle s'approcha de la porte et frappa trois coups de sa hallebarde, comme pour demander si on avait besoin de secours.

—Silence! dit le prince honteux de sa faiblesse, et qui ne voulait pas se laisser prendre en flagrant délit de peur.

Il battit le briquet, ralluma la lampe et vit au milieu du lit la chatte, qui s'était remise à sa place et qui léchait tendrement ses petits.

—C'est trop fort! s'écria-t-il; sans respect pour notre couronne, cet insolent animal se permet de choisir notre couche royale pour y déposer ses ordures et ses chats! Attends, drôlesse, je vais te traiter comme tu le mérites!

—Elle va vous mordre, dit la reine; elle peut être enragée.

—Ne craignez rien, chère amie, dit le bon prince; et, relevant les coins du drap de dessous, il enveloppa toute la nichée, puis il roula ce paquet dans la couverture et le drap de dessus, en fit une boule énorme, et la jeta par la fenêtre.

—Maintenant, dit-il à la reine, passons dans votre chambre, et, puisque nous voilà vengés, dormons en paix.

Dors, ô roi! et que des songes heureux bercent ton sommeil; mais, tandis que tu reposes, un homme grimpe sur le toit, y attache une corde et se laisse glisser jusque dans la cour. Il cherche à tâtons un objet invisible, il le charge sur son dos, le voilà qui franchit le mur et qui court dans la neige. Si l'on en croit les sentinelles, un fantôme a passé devant elles, et elles ont entendu les gémissements d'un enfant nouveau-né.

Le lendemain, quand le roi s'éveilla, il rassembla ses idées et se mit à réfléchir pour la première fois. Il soupçonna qu'il avait été victime de quelque tricherie et que l'auteur du crime pourrait bien être le petit homme gris. Il l'envoya chercher aussitôt.

Le petit homme arriva, portant sur l'épaule les draps fraîchement repassés; il mit un genou à terre devant la reine, et lui dit d'un ton respectueux:

—Votre Majesté sait que tout ce que j'ai fait n'a été que pour obéir au roi; j'espère qu'elle sera assez bonne pour me pardonner.

—Soit, dit la reine, mais n'y revenez plus. J'en mourrais de frayeur.

—Et, moi, je ne pardonne pas, dit le roi, fort vexé que la reine se permît d'être clémente sans consulter son seigneur et maître. Écoute-moi, triple fripon. Si, demain soir, tu n'as pas volé la reine elle-même, dans son château, demain soir tu seras pendu.

—Majesté, s'écrie le petit homme, faites-moi pendre tout de suite, vous m'épargnerez vingt-quatre heures d'angoisses. Comment voulez-vous que je vienne à bout d'une pareille entreprise? Il serait plus aisé de prendre la lune avec les dents.

—C'est ton affaire et non la mienne, reprit le roi. En attendant, je vais faire dresser le gibet.

Le petit homme sortit désespéré: il cachait sa tête dans ses deux mains et sanglotait à fendre le coeur; le roi riait pour la première fois.

Vers la brume, un saint homme de capucin, le chapelet à la main, la besace sur le dos, vint, suivant l'usage, quêter au château pour son couvent. Quand la reine lui eut donné son aumône:

—Madame, dit le capucin, Dieu reconnaîtra tant de charité. Demain, vous le savez, on pendra dans le château un malheureux bien coupable sans doute.

—Hélas! dit la reine, je lui pardonne de grand coeur, et j'aurais voulu lui sauver la vie.

—Cela ne se peut pas, dit le moine; mais cet homme, qui est une espèce de sorcier, peut vous faire un grand cadeau avant de mourir. Je sais qu'il possède trois secrets merveilleux dont un seul vaut un royaume. De ces trois secrets il peut en léguer un à celle qui a eu pitié de lui.

—Quels sont ces secrets? demanda la reine.

—En vertu du premier, répondit le capucin, une femme fait faire à son mari tout ce qu'elle veut.

—Ah! dit la princesse en faisant la moue, ce n'est point une recette merveilleuse. Depuis Ève, de sainte mémoire, ce mystère est connu de mère en fille. Quel est le deuxième secret?

—Le second secret donne la sagesse et la bonté.

—Fort bien, dit la reine d'un ton distrait, et le troisième?

—Le troisième, dit le capucin, assure à la femme qui le possède une beauté sans égale et le don de plaire jusqu'à son dernier jour.

—Mon Père, c'est ce secret-là que je veux.

—Rien n'est plus aisé, dit le moine. Il faut seulement qu'avant de mourir, et tandis qu'il est encore en pleine liberté, le sorcier vous prenne les deux mains et vous souffle trois fois dans les cheveux.

—Qu'il vienne, dit la reine. Mon Père, allez le chercher.

—Cela ne se peut pas, dit le capucin, le roi a donné les ordres les plus sévères pour que cet homme ne puisse entrer au château. S'il met les pieds dans cette enceinte, il est mort. Ne lui enviez pas les quelques heures qui lui restent.

—Et moi, mon Père, le roi m'a défendu de sortir jusqu'à demain soir.

—Cela est fâcheux, dit le moine. Je vois qu'il vous faut renoncer à ce trésor sans pareil. Il serait doux cependant de ne pas vieillir et de rester toujours jeune, belle et, surtout, aimée.

—Hélas! mon Père, vous avez bien raison; la défense du roi est une suprême injustice. Mais, quand je voudrais sortir, les gardes s'y opposeraient. N'ayez pas l'air étonné; voilà de quelle façon le roi me traite dans ses caprices. Je suis la plus malheureuse des femmes.

—J'en ai le coeur navré, dit le capucin. Quelle tyrannie! Quelle barbarie! Pauvre femme! Eh bien! non, Madame, vous ne devez pas céder à de pareilles exigences; votre devoir est de faire votre volonté.

—Et le moyen? dit la reine.

—Il en est un si vous avez le sentiment de vos droits. Entrez dans ce sac; je vous ferai sortir du château, au risque de ma vie. Et dans cinquante ans quand vous serez aussi belle et aussi fraîche qu'aujourd'hui, vous vous applaudirez encore d'avoir bravé votre tyran.

—Soit! dit la reine, mais ce n'est point un piège que l'on me tend?

—Madame, dit le saint homme en levant les bras et en se frappant la poitrine, aussi vrai que je suis un moine, vous n'avez rien à craindre de ce côté. D'ailleurs, tant que ce malheureux sera près de vous, j'y resterai.

—Et vous me ramènerez au château?

—Je le jure.

—Et avec le secret? ajouta la reine.

—Avec le secret, reprit le moine. Mais, enfin, si Votre Majesté a quelque scrupule, restons-en là, et que la recette meure avec celui qui l'a trouvée, s'il n'aime mieux la donner à quelque femme plus confiante.

Pour toute réponse, la reine entra bravement dans le sac; le capucin tira les cordons, chargea le fardeau sur son épaule et traversa la cour à pas comptés.

Chemin faisant, il rencontra le roi, qui faisait sa ronde.

—La quête est bonne, à ce que je vois? dit le prince.

—Sire, répondit le moine, la charité de Votre Majesté est inépuisable; je crains d'en avoir abusé. Peut-être ferais-je mieux de laisser ici ce sac et ce qu'il contient.

—Non, non, dit le roi. Emportez tout, mon Père, et bon débarras! Je n'imagine pas que tout ce que vous avez là-dedans vaille grand'chose. Vous ferez un maigre festin.

—Je souhaite à Votre Majesté de souper d'aussi bon appétit, reprit le moine d'un ton paterne, et il s'éloigna en marmottant des paroles qu'on n'entendit pas, quelques *oremus*, sans doute.

La cloche sonna le souper; le roi entra dans la salle en se frottant les mains. Il était content de lui et il espérait se venger, double raison pour avoir grand appétit.

—La reine n'est pas descendue? dit-il d'une voix ironique; cela ne m'étonne guère. L'inexactitude est la vertu des femmes.

Il allait se mettre à table, quand trois soldats, croisant la hallebarde, poussèrent dans la salle le petit homme gris.

—Sire, dit un des gardes, ce drôle a eu l'audace d'entrer dans la cour du château, malgré la défense royale. Nous l'aurions pendu de suite pour ne pas troubler le souper de Votre Majesté, mais il prétend qu'il a un message de la reine, et qu'il est porteur d'un secret d'État.

—La reine! s'écria le roi tout ébahi, où est-elle? Misérable, qu'en as-tu fait?

—Je l'ai volée, dit froidement le petit homme.

—Et comment cela? dit le roi.

—Sire, le capucin qui avait un si gros sac sur le dos et à qui Votre Majesté a daigné dire: «Emporte tout, et bon débarras!...»

—C'était toi! dit le prince; mais alors, misérable, il n'y a plus de sûreté pour moi. Un de ces jours tu me prendras, moi et mon royaume par-dessus le marché.

—Sire, je viens vous demander davantage.

—Tu me fais peur, dit le roi. Qui donc es-tu? Un sorcier ou le diable en personne?

—Non, sire, je suis simplement le prince de Holar. Vous avez une fille à marier, je venais vous demander sa main, quand le mauvais temps m'a forcé de me réfugier, avec mon grand-écuyer, chez le curé de Skalholt. C'est là que le hasard a jeté sur ma route un paysan imbécile et m'a fait jouer le rôle que vous savez. Du reste, tout ce que j'ai fait n'a été que pour obéir et plaire à Votre Majesté.

—Fort bien! dit le roi. Je comprends, ou plutôt je ne comprends pas; il n'importe! Prince de Holar, j'aime mieux vous avoir pour gendre que pour voisin. Dès que la reine sera venue…

—Sire, elle est ici. Mon grand-écuyer s'est chargé de la reconduire en son palais.

La reine entra bientôt, un peu confuse de sa simplicité, mais aisément consolée en songeant qu'elle avait pour gendre un si habile homme.

—Et le fameux secret, dit-elle tout bas au prince de Holar, vous me le devez?

—Le secret d'être toujours belle, dit le prince, c'est d'être toujours aimée.

—Et le moyen d'être toujours aimée? demanda la reine.

—C'est d'être bonne et simple, et de faire la volonté de son mari.

—Il ose dire qu'il est sorcier! s'écria la reine indignée en levant les bras au ciel.

—Finissons ces mystères, dit le roi, qui déjà prenait peur. Prince de Holar, quand vous serez notre gendre, vous aurez plus de temps que vous ne voudrez pour causer avec votre belle-mère. Le souper se refroidit: à table! Donnons toute la soirée au plaisir; amusez-vous, mon gendre, demain vous serez marié.

A ce mot, qu'il trouva piquant, le roi regarde la reine; mais elle fit une telle mine qu'à l'instant même il se frotta le menton et admira les mouches qui volaient au plafond.

Ici finissent les aventures du prince de Holar; les jours heureux n'ont pas d'histoire. Nous savons cependant qu'il succéda à son beau-père et qu'il fut un grand roi. Un peu menteur, un peu voleur, audacieux et rusé, il avait les vertus d'un conquérant. Il prit à ses voisins plus de mille arpents de neige, qu'il perdit et reconquit trois fois en sacrifiant six armées. Aussi son nom figure-t-il glorieusement dans les célèbres annales de Skalholt et de Holar. C'est à ces monuments fameux que nous renvoyons le lecteur.

III

Encore une petite histoire pour mon neveu le collégien, qui, d'une ardeur sans égale, se débat entre *rosa* et *dominus*, et croit qu'il serait moins difficile de faire marcher ensemble les rois d'Europe que d'accorder l'adjectif et le substantif, qui se gourment toujours, en genre, en nombre et en cas.

IV

LES DEUX EXORCISTES

Au temps jadis, il y avait dans un petit village d'Islande un prêtre qui savait autant de latin qu'un poisson. Un jour qu'on lui apportait au baptême un enfant nouveau-né, au lieu de regarder dans son livre, il se mit à réciter de travers la formule de l'exorcisme.

—*Abi*, dit-il, *abi, male spirite.*

Mais le diable, qui a inventé la grammaire (grammaire et grimoire, c'est tout un), n'était pas d'humeur à se laisser chasser par un solécisme.

—*Pessime grammatice*, s'écria-t-il à la grande terreur des assistants.

Le prêtre, sentant qu'il s'était trompé et prenant son courage à deux mains, dit d'une voix tremblante:

—*Abi, male spiritu.*

A quoi le diable, qu'on ne prend pas en défaut, répondit:

—*Male prius, nunc pejus.*

Le prêtre, furieux, reprit: *Abi, male spiritus.*

—*Sic debuisti dicere prius*, répondit le diable, et il sortit tranquillement.

L'histoire n'est pas mauvaise; on en conte une autre en Allemagne qui peut-être vaut mieux.

—*Exi tu ex corpo*, dit fièrement le prêtre.

—*Nolvo*, répond le diable.

—*Cur tu nolvis?*

—*Quia*, répond insolemment le diable, *quia tu male linguis*.

—*Hoc est aliud rem*, dit majestueusement le prêtre, et il se retire avec dignité, laissant tout camus ce pédant solennel.

Que de folies, dira-t-on, et chez un homme que son état et son âge condamnent au sérieux à perpétuité.

—Holà! graves censeurs, laissez-moi rire, avec vos enfants. Vous aussi, vous me faites rire, et souvent, mais ce rire-là attriste mon coeur. Grands hommes d'aujourd'hui, j'ai toute l'année pour admirer votre étonnante sagesse; laissez-moi vous oublier un jour et jouer avec ces âmes innocentes qui, grâce à Dieu, ne savent pas encore ce que vous savez.

ZERBIN LE FAROUCHE

CONTE NAPOLITAIN

I

Il y avait une fois à Salerne un jeune bûcheron qui s'appelait Zerbin. Orphelin et pauvre, il n'avait point d'amis; sauvage et taciturne, il ne parlait à personne, et personne ne lui parlait. Comme il ne se mêlait point des affaires d'autrui, chacun le tenait pour un sot. On l'avait surnommé *le farouche*; jamais titre ne fut mieux mérité. Le matin, quand tout dormait encore dans la ville, il s'en allait à la montagne, la veste et la cognée sur l'épaule; il vivait seul dans les bois, tout le long du jour, et ne rentrait qu'à la brume, traînant après lui quelque méchant fagot dont il achetait son souper. Quand il passait devant la fontaine où tous les soirs, les jeunes filles du quartier allaient emplir leur cruche et vider leur gosier, chacune riait de cette sombre figure et se moquait du pauvre bûcheron. Ni la barbe noire ni les yeux brillants de Zerbin n'effrayaient cette troupe effrontée; c'était à qui provoquerait l'innocent.

—Zerbin de mon âme, criait l'une, dis un mot, je te donne mon coeur.

—Plaisir de mes yeux, reprenait l'autre, montre-moi la couleur de tes paroles, je suis à toi.

—Zerbin, Zerbin, répétaient en choeur toutes ces têtes folles, qui de nous choisis-tu pour femme? Est-ce moi? Est-ce moi? Qui prends-tu?

—La plus bavarde, répondait le bûcheron, en leur montrant le poing.

Et chacune de crier aussitôt:

—Merci! mon bon Zerbin, merci!

Poursuivi par les éclats de rire, le pauvre sauvage rentrait chez lui avec la grâce d'un sanglier qui fuit devant le chasseur. Une fois sa porte fermée, il soupait d'un morceau de pain et d'un verre d'eau, s'enveloppait dans les lambeaux d'une vieille couverture, et se couchait sur la terre battue. Sans soucis, sans regrets, sans désirs, il s'endormait vite et ne rêvait guère. Si le bonheur est de ne rien sentir, le plus heureux des hommes, c'était Zerbin.

II

Un jour qu'il s'était fatigué à ébranler un vieux buis aussi dur que la pierre, Zerbin voulut faire la sieste près d'un étang tout entouré de beaux arbres. A sa grande surprise, il aperçut, étendue sur le gazon, une jeune femme, d'une merveilleuse beauté, et dont la robe était faite de plumes de cygne. L'inconnue luttait contre un rêve pénible: son visage était crispé, ses mains s'agitaient; on eût dit qu'elle essayait en vain de secouer le sommeil qui l'oppressait.

—S'il y a du bon sens, dit Zerbin, de dormir à midi avec le soleil sur la figure! Toutes les femmes sont folles.

Il enlaça quelques branches pour en ombrager la tête de l'étrangère, et sur ce berceau il plaça comme un voile sa veste de travail.

Il finissait de tresser le feuillage, quand il aperçut dans l'herbe, à deux pas de l'inconnue, une vipère qui approchait en dardant sa langue empoisonnée.

—Ah! dit Zerbin, si petite et déjà si méchante!

Et en deux coups de sa cognée il fit du serpent trois morceaux. Les tronçons tressaillaient comme s'ils voulaient encore atteindre l'étrangère, le bûcheron les poussa du pied dans l'étang; ils y tombèrent en frémissant comme un fer rouge qu'on trempe dans l'eau.

A ce bruit, la fée s'éveilla, et, se levant, les yeux brillants de joie:

—Zerbin! s'écria-t-elle, Zerbin!

—C'est mon nom, je le connais, répondit le bûcheron, il n'y a pas besoin de crier si fort.

—Quoi! mon ami, dit la fée, tu ne veux pas que je te remercie du service que tu m'as rendu? Tu m'as sauvé plus que la vie.

—Je ne vous ai rien sauvé du tout, dit Zerbin, avec sa grâce ordinaire. Une autre fois, ne vous couchez pas sur l'herbe sans voir s'il y a des serpents. Voilà le conseil que je vous donne. Maintenant, bonsoir; laissez-moi dormir, je n'ai pas de temps à perdre.

Il s'étendit tout de son long sur l'herbe et ferma les yeux.

—Zerbin, dit la fée, tu ne me demandes rien?

—Je vous demande la paix. Quand on ne veut rien, on a ce qu'on veut, on est heureux. Bonsoir.

Et le vilain se mit à ronfler.

—Pauvre garçon, dit la fée, ton âme est endormie; mais, quoi que tu fasses, je ne serai pas ingrate. Sans toi j'allais tomber dans les mains d'un génie, mon ennemi cruel; sans toi j'aurais été cent ans couleuvre; je te dois cent ans de jeunesse et de beauté. Comment te payer? J'y suis, ajouta-t-elle. Quand on a ce qu'on veut, on est heureux, c'est toi qui l'as dit. Eh bien! mon bon Zerbin, tout ce que tu voudras, tout ce que tu souhaiteras, tu l'auras. Bientôt, je l'espère, tu béniras la fée des eaux.

Elle fit trois ronds en l'air avec sa baguette de coudrier; puis, elle entra dans l'étang d'un pas si léger, que l'onde même n'en fut pas ridée. A l'approche de leur reine, les roseaux inclinaient leurs aigrettes, les nénuphars épanouissaient leurs fleurs les plus fraîches; les arbres, le jour, le vent même, tout souriait à la fée, tout semblait s'associer à son bonheur. Une dernière fois elle leva sa baguette; aussitôt, pour recevoir leur jeune souveraine, les eaux s'ouvrirent en s'illuminant. On eût dit qu'un rayon de soleil perçait jusqu'au fond de l'abîme. Puis tout rentra dans l'ombre et le silence; on n'entendit plus rien que Zerbin qui ronflait toujours.

III

Le soleil commençait à baisser quand le bûcheron se réveilla. Il retourna tranquillement à sa besogne, et d'un bras vigoureux il attaqua le tronc de l'arbre qu'il avait ébréché le matin. La cognée résonnait sur le bois, mais elle ne l'entamait guère; Zerbin suait à grosses gouttes et frappait en vain cet arbre maudit, qui défiait tous ses efforts.

—Ah! dit-il en regardant sa cognée tout ébréchée, quel malheur qu'on n'ait pas inventé un outil qui coupât le bois comme du beurre! J'en voudrais un comme ça.

[Illustration: Elle fit trois ronds en l'air avec sa baguette de coudrier.]

Il recula de deux pas, fit tourner la cognée sur sa tête et la lança d'une telle force qu'il alla tomber à dix pieds, les bras en avant, le nez par terre.

—*Per Baccho!* s'écria-t-il, j'ai la berlue; j'ai frappé à côté.

Zerbin fut bientôt rassuré, car au même instant l'arbre tomba, et si près de lui que peu s'en fallut que le pauvre garçon ne fût écrasé.

—Voilà un beau coup! s'écria-t-il, et qui avance ma journée. Comme c'est tranché! on dirait d'un trait de scie. Il n'y a pas deux bûcherons pour travailler comme le fils de ma mère.

Sur ce, il rassembla toutes les branches qu'il avait abattues le matin; puis, déliant une corde qu'il avait roulée autour de sa ceinture, il se mit à cheval sur le fagot pour le serrer davantage, et il l'attacha avec un noeud coulant.

—A présent, dit-il, il faut traîner cela à la ville. Il est facheux que les fagots n'aient pas quatre jambes comme les chevaux! Je m'en irais fièrement à Salerne et j'y entrerais en caracolant, à la façon d'un beau cavalier qui se promène sans rien faire. Je voudrais me voir comme ça.

A l'instant, voici le fagot qui se soulève et qui se met à trotter d'un pas allongé. Sans s'étonner de rien, le bon Zerbin se laissait emporter par cette monture d'espèce nouvelle, et tout le long du chemin il prenait en pitié ces pauvres petites gens qui marchaient à pied, faute d'un fagot.

IV

Au temps dont nous parlons il y avait une grande place au milieu de Salerne, et sur cette place était le palais du roi. Ce roi, personne ne l'ignore, c'était le fameux Mouchamiel, dont l'histoire a immortalisé le nom.

Chaque après-midi, on voyait tristement assise au balcon la fille du roi, la princesse Aléli. C'est en vain que ses esclaves essayaient de la charmer par leurs chansons, leurs contes ou leurs flatteries; Aléli n'écoutait que sa pensée. Depuis trois ans, le roi son père voulait la marier à tous les barons du voisinage; depuis trois ans, la princesse refusait tous les prétendants. Salerne était sa dot, et elle sentait que c'était sa dot seule qu'on voulait épouser. Sérieuse et tendre, Aléli n'avait pas d'ambition, elle n'était pas coquette, elle ne riait pas pour montrer ses dents, elle savait écouter et ne parlait jamais pour ne rien dire; cette maladie, si rare chez les femmes, faisait le désespoir des médecins.

Aléli était encore plus rêveuse que de coutume, quand tout d'un coup déboucha sur la place Zerbin, guidant son fagot avec la majesté d'un César empanaché. A cette vue, les deux femmes de la princesse furent prises d'un fou rire, et comme elles avaient des oranges sous la main, elles se mirent à en jeter au cavalier, et de façon si adroite, qu'il en reçut deux en plein visage.

—Riez, maudites, cria-t-il en les montrant du doigt, et puissiez-vous rire à vous user les dents jusqu'aux gencives. Voilà ce que vous souhaite Zerbin.

Et voici les deux femmes qui rient à se tordre, sans que rien les arrête, ni les menaces du bûcheron ni les ordres de la princesse, qui prenait en pitié le pauvre bûcheron.

—Bonne petite femme, dit Zerbin en regardant Aléli, et si douce et si triste! Moi, je te souhaite du bien. Puisses-tu aimer le premier qui te fera rire, et l'épouser par-dessus le marché!

Sur ce, il prit sa mèche de cheveux, et salua la princesse de la façon la plus gracieuse.

Règle générale: quand on est à cheval sur un fagot, il ne faut saluer personne, fût-ce une reine; Zerbin l'oublia, et mal lui en prit. Pour saluer la princesse, il avait lâché la corde qui retenait les branches en faisceau; voici le fagot qui s'ouvre et le bon Zerbin qui tombe en arrière, les jambes en l'air, de la façon la plus grotesque et la plus ridicule. Il se releva par une culbute hardie, emportant avec lui la moitié du feuillage, et, couronné comme un dieu sylvain, il s'en alla rouler dix pas plus loin.

Quand une personne tombe au risque de se tuer, pourquoi rit-on? Je l'ignore; c'est un mystère que la philosophie n'a pas encore expliqué. Ce que je sais, c'est que tout le monde rit et que la princesse Aléli fit comme tout le monde. Mais aussitôt elle se leva, regarda Zerbin avec des yeux étranges, mit la main sur son coeur, la porta à sa tête et rentra dans le palais, tout agitée d'un trouble inconnu.

Cependant Zerbin rassemblait les branches éparses et rentrait chez lui à pied, comme un simple fagotier. La prospérité ne l'avait point ébloui, la mauvaise chance ne le troubla pas davantage. La journée était bonne, c'était assez pour lui. Il acheta un beau fromage de buffle, blanc et dur comme le marbre, en coupa une longue tranche et dîna du meilleur appétit. L'innocent ne se doutait guère du mal qu'il avait fait et du désordre qu'il laissait après lui.

V

Tandis que ces graves événements se passaient, quatre heures sonnaient à la tour de Salerne. La journée était brûlante, le silence régnait dans les rues. Retiré dans une chambre basse, loin de la chaleur et du bruit, le roi Mouchamiel songeait au bonheur de son peuple: il dormait.

Tout à coup il s'éveilla en sursaut: deux bras lui serraient le cou, des larmes brûlantes lui mouillaient le visage; c'était la belle Aléli qui embrassait son père, dans un accès de tendresse.

—Qu'est cela? dit le roi, surpris de ce redoublement d'amour. Tu m'embrasses et tu pleures? Ah! fille de ta mère, tu veux me faire faire ta volonté?

—Tout au contraire, mon bon père, dit Aléli; c'est une fille obéissante qui veut faire ce que vous voulez. Ce gendre que vous souhaitez, je l'ai trouvé. Pour vous faire plaisir, je suis prête à lui donner ma main.

—Bon, reprit Mouchamiel, c'est la fin du caprice. Qui épousons-nous? le prince de la Cava? Non. C'est donc le comte de Capri? le marquis de Sorrente? Non. Qui est-ce donc?

—Je ne le connais pas, mon bon père.

—Comment, tu ne le connais pas? tu l'as vu cependant?

—Oui, tout à l'heure, sur la place du château.

—Et il t'a parlé?

—Non, mon père. Est-il besoin de parler quand les coeurs s'entendent?

Mouchamiel fit la grimace, se gratta l'oreille, et regardant sa fille entre les deux yeux:

—Au moins, dit-il, c'est un prince?

—Je ne sais pas, mon père, mais qu'importe?

—Il importe beaucoup, ma fille, et tu n'entends rien à la politique. Que tu choisisses librement un gendre qui me convienne, c'est à merveille. Comme roi et comme père, je ne gênerai jamais ta volonté quand cette volonté sera la mienne. Mais autrement j'ai des devoirs à remplir envers ma famille et mes sujets, et j'entends qu'on fasse ce que je veux. Où se cache ce bel oiseau que tu ne connais pas, qui ne t'a pas parlé et qui t'adore?

—Je l'ignore, dit Aléli.

—Voilà qui est trop fort, s'écria Mouchamiel. C'est pour me conter de pareilles folies que tu viens me prendre des moments qui appartiennent à mon peuple! Holà! chambellans, qu'on appelle les femmes de la princesse et qu'on la reconduise dans ses appartements.

En entendant ces mots, Aléli leva les bras au ciel et se mit à fondre en larmes. Puis, elle tomba aux genoux du roi en sanglotant. Au même moment, les deux femmes entrèrent, toujours riant aux éclats.

—Silence, misérables, silence! s'écria Mouchamiel, indigné de ce manque de respect.

Mais plus le roi criait: Silence! et plus les deux femmes riaient, sans souci de l'étiquette.

—Gardes, dit le prince hors de lui, qu'on saisisse ces insolentes, et qu'on leur tranche la tête. Je leur apprendrai qu'il n'y a rien de moins plaisant qu'un roi.

—Sire, dit Aléli, enjoignant les mains, rappelez-vous que vous avez illustré votre règne en abolissant la peine de mort.

—Tu as raison, ma fille. Nous sommes des gens civilisés. Qu'on épargne ces femmes, et qu'on se contente de les traiter à la russe, avec tous les ménagements voulus. Bâtonnez-les jusqu'à ce qu'elles meurent naturellement.

—Grâce! mon père, dit Aléli; c'est moi, c'est votre fille qui vous en supplie.

—Pour Dieu! qu'elles ne rient plus, et qu'on m'en débarrasse, dit le bon Mouchamiel. Emmenez ces pécores, je leur pardonne; qu'on les enferme dans une cellule jusqu'à ce qu'elles y crèvent de silence et d'ennui.

—Ah! mon père, sanglota la pauvre Aléli.

—Allons, dit le roi, qu'on les marie, et que ça finisse!

—Grâce, Sire, nous ne rirons plus, crièrent les deux femmes en tombant à genoux et en ouvrant une bouche où il n'y avait que des gencives. Que Votre Majesté nous pardonne, et qu'elle nous venge. Nous sommes victimes d'un art infernal; un scélérat nous a ensorcelées.

—Un sorcier dans mes États! dit le roi qui était un esprit fort; c'est impossible! Il n'y en a point, puisque je n'y crois pas.

—Sire, dit l'une des femmes, est-il naturel qu'un fagot trotte comme un cheval de manège et caracole sous la main d'un bûcheron? Voilà ce que nous venons de voir sur la place du château.

—Un fagot! reprit le roi; cela sent le sorcier. Gardes, qu'on saisisse l'homme et son fagot, et que, l'un portant l'autre, on les brûle tous les deux. Après cela, j'espère qu'on me laissera dormir.

—Brûler mon bien-aimé! s'écria la princesse, en remuant les bras comme une illuminée. Sire, ce noble chevalier, c'est mon époux, c'est mon bien, c'est ma vie. Si l'on touche à un seul de ses cheveux, je meurs.

—L'enfer est dans ma maison, dit le pauvre Mouchamiel. A quoi me sert-il d'être roi pour ne pouvoir pas même dormir la grasse matinée? Mais je suis bon de me tourmenter. Qu'on appelle Mistigris. Puisque j'ai un ministre, c'est bien le moins qu'il me dise ce que je pense, et qu'il sache ce que je veux.

VI

On annonça le seigneur Mistigris. C'était un petit homme, gros, court, rond, large, qui roulait plus qu'il ne marchait. Des yeux de fouine qui regardaient de tous les côtés à la fois, un front bas, un nez crochu, de grosses joues, trois mentons: tel est le portrait du célèbre ministre qui faisait le bonheur de Salerne, sous le nom du roi Mouchamiel. Il entra souriant, soufflant, minaudant, en homme qui porte gaiement le pouvoir et ses ennuis.

—Enfin, vous voilà! dit le prince. Comment se fait-il qu'il se passe des choses inouïes dans mon empire, et que, moi, le roi, j'en sois le dernier averti?

—Tout est dans l'ordre accoutumé, dit Mistigris d'un ton placide. J'ai là dans les mains les rapports de la police; le bonheur et la paix règnent dans l'État, comme toujours.

Et ouvrant de grands papiers, il lut ce qui suit:

«Port de Salerne. Tout est tranquille. On n'a pas volé à la douane plus que de coutume. Trois querelles entre matelots, six coups de couteau; cinq entrées à l'hôpital. Rien de nouveau.

«Ville haute. Octroi doublé; prospérité et moralité toujours croissantes. Deux femmes mortes de faim; dix enfants exposés; trois maris qui ont battu leurs femmes, dix femmes qui ont battu leurs maris; trente vols, deux assassinats, trois empoisonnements. Rien de nouveau.

—Voilà donc tout ce que vous savez? dit Mouchamiel d'une voix irritée. Eh bien! moi, Monsieur, dont ce n'est pas le métier de connaître les affaires d'État, j'en sais davantage. Un homme à cheval sur un fagot a passé sur la place du château, et il a ensorcelé ma fille. La voici qui veut l'épouser.

—Sire, dit Mistigris, je n'ignorais pas ce détail; un ministre sait tout; mais pourquoi fatiguer Votre Majesté de ces niaiseries? On pendra l'homme et tout sera dit.

—Et vous pouvez me dire où est ce misérable?

—Sans doute, Sire, répondit Mistigris. Un ministre voit tout, entend tout, est partout.

—Eh bien! Monsieur, dit le roi, si dans un quart d'heure ce drôle n'est pas ici, vous laisserez le ministère à des gens qui ne se contentent pas de voir, mais qui agissent. Allez!

Mistigris sortit de la chambre toujours souriant. Mais, une fois dans la salle d'attente, il devint cramoisi comme un homme qui étouffe, et fut obligé de prendre le bras du premier ami qu'il rencontra. C'était le préfet de la ville qu'un hasard heureux amenait près de lui. Mistigris recula de deux pas et prit le magistrat au collet.

—Monsieur, lui dit-il en scandant chacun de ses mots, si dans dix minutes vous ne m'amenez pas l'homme qui se promène dans Salerne à cheval sur un fagot, je vous casse, entendez-vous? je vous casse. Allez!

Tout étourdi de cette menace, le préfet courut chez le chef de la police.

—Où est l'homme qui se promène sur un fagot? lui dit-il.

—Quel homme? demanda le chef de la police.

—Ne raisonnez pas avec votre supérieur; je ne le souffrirai point. En n'arrêtant pas ce scélérat, vous avez manqué à tous vos devoirs. Si dans cinq minutes cet homme n'est pas ici, je vous chasse. Allez!

Le chef de la police courut au poste du château; il y trouva ses gens qui veillaient à la tranquillité publique en jouant aux dés.

—Drôles! leur cria-t-il, si dans trois minutes vous ne m'amenez pas l'homme qui se promène à cheval sur un fagot, je vous fais bâtonner comme des galériens. Courez, et pas un mot.

La troupe sortit en blasphémant, tandis que l'habile et sage Mistigris, confiant dans les miracles de la hiérarchie, rentrait tranquillement dans la chambre du roi et remettait sur ses lèvres ce sourire perpétuel qui fait partie de la profession.

VII

Deux mots dits par le ministre à l'oreille du roi charmèrent Mouchamiel. L'idée de brûler un sorcier ne lui déplaisait pas. C'était un joli petit événement qui honorerait son règne, une preuve de sagesse qui étonnerait la postérité.

Une seule chose gênait le roi, c'était la pauvre Aléli noyée dans les larmes et que ses femmes essayaient en vain d'entraîner dans ses appartements.

Mistigris regarda le roi en clignant de l'oeil; puis, s'approchant de la princesse, il lui dit de sa voix la moins criarde:

—Madame, il va venir, il ne faut pas qu'il vous voie pleurer. Au contraire, parez-vous; soyez deux fois belle, et que votre vue seule l'assure de son bonheur.

—Je vous entends, bon Mistigris, s'écria Aléli. Merci, mon père, merci, ajouta-t-elle en se jetant sur les mains du roi, qu'elle couvrit de baisers. Soyez béni, mille et mille fois béni!

Elle sortit ivre de joie, la tête haute, les yeux brillants, et si heureuse, si heureuse qu'elle arrêta au passage le premier chambellan pour lui annoncer elle-même son mariage.

—Bon chambellan, ajouta-t-elle, il va venir. Faites-lui vous-même les honneurs du palais et soyez sûr que vous n'obligerez pas des ingrats.

Resté seul avec Mistigris, le roi regarda son ministre d'un air furieux.

—Êtes-vous fou! lui dit-il. Quoi! sans me consulter, vous engagez ma parole? Vous croyez-vous le maître de mon empire pour disposer de ma fille et de moi sans mon aveu?

—Bah! dit tranquillement Mistigris, il fallait calmer la princesse; c'était le plus pressé. En politique on ne s'occupe jamais du lendemain. A chaque jour suffit sa peine.

—Et ma parole, reprit le roi, comment voulez-vous maintenant que je la retire sans me parjurer? Et pourtant je veux me venger de cet insolent qui m'a volé le coeur de mon enfant.

—Sire, dit Mistigris, un prince ne retire jamais sa parole; mais il y a plusieurs façons de la tenir.

—Qu'entendez-vous par là? dit Mouchamiel.

—Votre Majesté, reprit le ministre, vient de promettre à ma fille de la marier; nous la marierons. Après quoi nous prendrons la loi qui dit:

«Si un noble qui n'a pas rang de baron ose prétendre à l'amour d'une princesse de sang royal, il sera traité comme noble, c'est-à-dire décapité.

«Si le prétendant est un bourgeois, il sera traité comme un bourgeois, c'est-à-dire pendu.

«Si c'est un vilain, il sera noyé comme un chien.»

—Vous voyez, Sire, que rien n'est plus aisé que d'accorder votre amour paternel et votre justice royale. Nous avons tant de lois à Salerne, qu'il y a toujours moyen de s'accommoder avec elles.

—Mistigris, dit le roi, vous êtes un coquin.

—Sire, dit le gros homme en se rengorgeant, vous me flattez, je ne suis qu'un politique. On m'a enseigné qu'il y a une grande morale pour les princes et une petite pour les petites gens. J'ai profité de la leçon. C'est ce discernement qui fait le génie des hommes d'État, l'admiration des habiles et le scandale des sots.

—Mon bon ami, dit le roi, avec vos phrases en trois morceaux vous êtes fatigant comme un éloge académique. Je ne vous demande pas de mots, mais des actions; pressez le supplice de cet homme et finissons-en.

Comme il parlait ainsi, la princesse Aléli entra dans la chambre royale. Elle était si belle, il y avait tant de joie dans ses yeux, que le bon Mouchamiel soupira et se prit à désirer que le cavalier du fagot fût un prince, afin qu'on ne le pendît pas.

VIII

C'est une belle chose que la gloire, mais elle a ses désagréments. Adieu le plaisir d'être inconnu et de défier la sotte curiosité de la foule. L'entrée triomphale de Zerbin n'était pas achevée, qu'il n'y avait pas un enfant dans Salerne qui ne connût la personne, la vie et la demeure du bûcheron. Aussi les estafiers n'eurent-ils pas grand'peine à trouver l'homme qu'ils cherchaient.

Zerbin était à deux genoux dans sa cour, tout occupé à affiler sa fameuse cognée; il en essayait le tranchant avec l'ongle de son pouce, quand une main s'abattit sur lui, le prit au collet, et d'un effort vigoureux le remit sur ses pieds. Dix coups de poing, vingt bourrades dans le dos le poussèrent dans la rue; c'est de cette façon qu'il apprit qu'un ministre s'intéressait à sa personne, et que le roi lui-même daignait l'appeler au palais.

Zerbin était un sage, et le sage ne s'étonne de rien. Il enfonça ses deux mains dans sa ceinture, et marcha tranquillement sans trop s'émouvoir de la grêle qui tombait sur lui. Cependant, pour être sage, on n'est pas un saint. Un coup de pied reçu dans le mollet lassa la patience du bûcheron.

—Doucement, dit-il, un peu de pitié pour le pauvre monde.

—Je crois que le drôle raisonne, dit un de ceux qui le maltraitaient. Monsieur est douillet: on va prendre des gants pour le mener par la main.

—Je voudrais vous voir à ma place, dit Zerbin; nous verrions si vous ririez.

—Te tairas-tu, drôle! dit le chef de la bande en lui décochant un coup de poing à décorner un boeuf.

Le coup était mal porté sans doute, car, au lieu d'atteindre Zerbin, il alla droit dans l'oeil d'un estafier. Furieux et à moitié aveugle, le blessé se jeta sur le maladroit qui l'avait frappé et le prit aux cheveux. Les voilà qui se battent; on veut les séparer: les coups de poing pleuvent à droite, à gauche, en haut, en bas; c'était une mêlée générale: rien n'y manquait, ni les enfants qui crient, ni les femmes qui pleurent, ni les chiens qui aboient. Il fallut envoyer une patrouille pour rétablir l'ordre, en arrêtant les battants, les battus et les curieux.

Zerbin, toujours impassible, s'en allait au château en se promenant, quand, sur la grande place, il fut abordé par une longue file de beaux messieurs en habits brodés et en culottes courtes. C'étaient les valets du roi, qui, sous la direction du majordome et du grand chambellan lui-même, venaient au-devant du fiancé qu'attendait la princesse. Comme ils avaient reçu l'ordre d'être polis, chacun d'eux avait le chapeau à la main et le sourire sur les lèvres. Ils saluèrent Zerbin; le bûcheron, en homme bien élevé, leur rendit leur salut. Nouvelles révérences de la livrée, nouveau salut de Zerbin. Cela se fit huit ou dix fois de suite avec une gravité parfaite. Zerbin se fatigua le premier: n'étant pas né dans un palais, il n'avait pas les reins souples, l'habitude lui manquait:

—Assez, s'écria-t-il, assez; et comme dit la chanson:

Après trois refus,
  La chance;
Après trois saluts,
  La danse.

Vous ne m'avez pas trop salué, dansez maintenant.

Aussitôt, voici les valets qui se mettent à danser en saluant, à saluer en dansant, et qui tous, précédant Zerbin dans un ordre admirable, lui font au château une entrée digne d'un roi.

IX

Pour se donner une attitude majestueuse, Mouchamiel regardait gravement le bout de son nez; Aléli soupirait, Mistigris taillait des plumes comme un diplomate qui cherche une idée, les courtisans immobiles et muets avaient l'air de réfléchir. Enfin, la grande porte du salon s'ouvrit. Majordome et valets entrèrent en cadence, dansant une sarabande qui surprit fort la cour. Derrière eux marchait le bûcheron, aussi peu ému des splendeurs royales que s'il était né dans un palais. Cependant, à la vue du roi, il s'arrêta, ôta son chapeau qu'il tint à deux mains sur sa poitrine, salua trois fois en tirant la jambe droite; puis, il remit son chapeau sur sa tête, s'assit paisiblement sur un fauteuil et fit danser le bout de son pied.

—Mon père, s'écria la princesse en se jetant au cou du roi, le voici l'époux que vous m'avez donné. Qu'il est beau! qu'il est noble! N'est-ce pas que vous l'aimerez?

—Mistigris, murmura Mouchamiel à demi étranglé, interrogez cet homme avec les plus grands ménagements. Songez au repos de ma fille et au mien. Quelle aventure! Ah! que les pères seraient heureux s'ils n'avaient pas d'enfants!

—Que Votre Majesté se rassure, répondit Mistigris; l'humanité est mon devoir et mon plaisir.

—Lève-toi, coquin! dit-il à Zerbin d'un ton brusque; réponds vite, si tu veux sauver ta peau. Es-tu un prince déguisé? Tu te tais, misérable! Tu es un sorcier!

—Pas plus sorcier que toi, mon gros, répondit Zerbin sans quitter son fauteuil.

—Ah! brigand! s'écria le ministre; cette dénégation prouve ton crime; te voilà confondu par ton silence, triple scélérat!

[Illustration: Zerbin tenait la barre et murmurait je ne sais quelle chanson plaintive.]

—Si j'avouais, je serais donc innocent? dit Zerbin.

—Sire, dit Mistigris, qui prenait la furie pour l'éloquence, faites justice; purgez vos États, purgez la terre de ce monstre. La mort est trop douce pour un pareil sacripant.

—Va toujours, dit Zerbin; aboie, mon gros, aboie, mais ne mords pas.

—Sire, cria Mistigris en soufflant, votre justice et votre humanité sont en présence. *Oua, oua, oua.* L'humanité vous ordonne de protéger vos sujets en les délivrant de ce sorcier, *oua, oua, oua.* La justice veut qu'on le pende ou qu'on le brûle, *oua, oua, oua.* Vous êtes père, *oua, oua,* mais vous êtes roi, *oua, oua,* et le roi, *oua, oua,* doit effacer le père, *oua, oua, oua.*

—Mistigris, dit le roi, vous parlez bien, mais vous avez un tic insupportable. Pas tant d'affectation. Concluez.

—Sire, reprit le ministre, la mort, la corde, le feu. *Oua, oua, oua.*

Tandis que le roi soupirait, Aléli, quittant brusquement son père, alla se mettre auprès de Zerbin.

—Ordonnez, Sire, dit-elle; voici mon époux; son sort sera le mien.

A ce scandale, toutes les dames de la cour se couvrirent la figure. Mistigris lui-même se crut obligé de rougir.

—Malheureuse! dit le roi furieux, en te déshonorant tu as prononcé ta condamnation. Gardes! arrêtez ces deux créatures; qu'on les marie séance tenante; après cela, confisquez le premier bateau qui se trouvera dans le port, jetez-y ces coupables, et qu'on les abandonne à la fureur des flots.

—Ah! Sire, s'écria Mistigris, tandis qu'on entraînait la princesse et Zerbin, vous êtes le plus grand roi du monde. Votre bonté, votre douceur, votre indulgence seront l'exemple et l'étonnement de la postérité. Que ne dira pas demain le *Journal officiel*! Pour nous, confondus par tant de magnanimité, il ne nous reste qu'à nous taire et à admirer.

—Ma pauvre fille, s'écria le roi, que va-t-elle devenir sans son père! Gardes, saisissez Mistigris et mettez-le aussi sur le bateau. Ce sera pour moi une consolation que de savoir cet habile homme auprès de ma chère Aléli. Et puis, changer de ministre, ce sera toujours une distraction; dans ma triste situation, j'en ai besoin. Adieu, mon Mistigris.

Mistigris était resté la bouche ouverte; il allait reprendre haleine pour maudire les princes et leur ingratitude, quand on l'emporta hors du palais. Malgré ses cris, ses menaces, ses prières et ses pleurs, on le jeta sur la barque, et bientôt les trois amis se trouvèrent seuls au milieu des flots.

Quant au bon roi Mouchamiel, il essuya une larme et s'enferma dans la chambre basse pour achever une sieste si désagréablement interrompue.

X

La nuit était belle et calme; la lune éclairait de sa blanche clarté la mer et ses sillons tremblants; le vent soufflait de terre et emportait au loin la barque; déjà on apercevait Capri qui se dressait au milieu des flots comme une corbeille de fleurs. Zerbin tenait la barre et murmurait je ne sais quelle chanson, plaintive, chant de bûcheron ou de matelot. A ses pieds était assise Aléli, silencieuse, mais non pas triste; elle écoutait son bien-aimé. Le passé, elle l'oubliait; l'avenir, elle n'y songeait guère; rester auprès de Zerbin, c'était toute sa vie.

Mistigris, moins tendre, était moins philosophe. Inquiet et furieux, il s'agitait comme un ours dans sa cage et faisait à Zerbin de beaux discours que le bûcheron n'écoutait pas. Insensible comme toujours, Zerbin penchait la tête. Peu habitué aux harangues officielles, les discours du ministre l'endormaient.

—Qu'allons-nous devenir? criait Mistigris. Voyons affreux sorcier, si tu as quelque vertu montre-le; tire-nous d'ici. Fais-toi prince ou roi quelque part, et nomme-moi ton premier ministre. Il me faut quelque chose à gouverner. A quoi te sert ta puissance, si tu ne fais pas la fortune de tes amis?

—J'ai faim, dit Zerbin en ouvrant la moitié d'un oeil.

Aléli se leva aussitôt et chercha autour d'elle.

—Mon ami, dit-elle, que voulez-vous?

—Je veux des figues et du raisin, dit le bûcheron.

Mistigris poussa un cri; un baril de figues et de raisins secs venait de sortir entre ses jambes et l'avait jeté par terre.

—Ah! pensa-t-il en se relevant, j'ai ton secret, maudit sorcier. Si tu as ce que tu souhaites, ma fortune est faite: je n'ai pas été ministre pour rien, beau prince; je te ferai vouloir ce que je voudrai.

Tandis que Zerbin mangeait ses figues, Mistigris s'approcha de lui, le dos courbé, la face souriante.

—Seigneur Zerbin, dit-il, je viens demander à Votre Excellence son incomparable amitié. Peut-être Votre Altesse n'a-t-elle pas bien compris tout ce que je cachais de dévouement sous la sévérité affectée de mes paroles; mais je puis l'assurer que tout était calculé pour brusquer son bonheur. C'est moi seul qui ai hâté son heureux mariage.

—J'ai faim, dit Zerbin. Donne-moi des figues et du raisin.

—Voici, seigneur, dit Mistigris avec toute la grâce d'un courtisan. J'espère que Son Excellence sera satisfaite de mes petits services et qu'elle me mettra souvent à même de lui témoigner tout mon zèle.

—Triple brute, murmura-t-il tout bas, tu ne m'entends point. Il faut absolument que je mette Aléli dans mes intérêts. Plaire aux dames, c'est le grand secret de la politique.

—A propos, seigneur Zerbin, reprit-il en souriant, vous oubliez que vous êtes marié de ce soir. Ne serait-il pas convenable de faire un cadeau de noces à votre royale fiancée?

—Toi, mon gros, tu m'ennuies, dit Zerbin. Un cadeau de noces, où veux-tu que je le pêche? au fond de la mer? Va le demander aux poissons, tu me le rapporteras.

A l'instant même, comme si une main invisible l'eût lancé, Mistigris sauta par-dessus le bord et disparut sous les flots.

Zerbin se remit à éplucher et à croquer ses raisins, tandis qu'Aléli ne se lassait pas de le regarder.

—voilà un marsouin qui sort de l'eau, dit Zerbin.

Ce n'était pas un marsouin, c'était l'heureux messager qui, remonté sur les vagues, se débattait au milieu de l'écume; Zerbin prit Mistigris par les cheveux et l'en tira par-dessus bord. Chose étrange, le gros homme avait dans les dents une escarboucle qui brillait comme une étoile au milieu de la nuit.

Dès qu'il put respirer:

—Voilà, dit-il, le cadeau que le roi des poissons offre à la charmante Aléli. Vous voyez, seigneur Zerbin, que vous avez en moi le plus fidèle et le plus dévoué des esclaves. Si vous avez jamais un petit ministère à confier…

—J'ai faim, dit Zerbin. Donne-moi des figues et du raisin.

—Seigneur, reprit Mistigris, ne ferez-vous rien pour la princesse votre femme? Cette barque exposée à toutes les injures de l'air n'est pas un séjour digne de sa naissance et de sa beauté.

—Assez! Mistigris, dit Aléli; je suis bien ici, je ne demande rien.

—Rappelez-vous, Madame, dit l'officieux ministre que, lorsque le prince de Capri vous offrit sa main, il avait envoyé à Salerne un splendide navire en acajou, où l'or et l'ivoire brillaient de toutes parts. Et ces matelots vêtus de velours, et ces cordages de soie et ces salons tout ornés de glaces! voilà ce qu'un petit prince faisait pour vous. Le seigneur Zerbin ne voudra pas rester en arrière, lui, si noble, si puissant et si bon.

—Il est sot, ce bonhomme-là! dit Zerbin; il parle toujours. Je voudrais avoir un bateau comme ça, rien que pour te clore le bec, bavard! après cela tu te tairais.

A ce moment, Aléli poussa un cri de surprise et de joie qui fit tressaillir le bûcheron.

Où était-il? Sur un magnifique navire qui fendait les vagues avec la grâce d'un cygne aux ailes gonflées. Une tente éclairée par des lampes d'albâtre formait sur le pont un salon richement meublé; Aléli, toujours assise aux pieds de son époux, le regardait toujours; Mistigris courait après l'équipage et voulait donner des ordres aux matelots. Mais sur cet étrange vaisseau personne ne parlait; Mistigris en était pour son éloquence, et ne pouvait même trouver un mousse à gouverner.

Zerbin se leva pour regarder le sillage; Mistigris accourut aussitôt, toujours souriant.

—Votre Seigneurie, dit-il, est-elle satisfaite de mes efforts et de mon zèle?

—Tais-toi, bavard, dit le bûcheron. Je te défends de parler jusqu'à demain matin. Je rêve, laisse-moi dormir.

Mistigris resta bouche béante, en faisant les gestes les plus respectueux; puis de désespoir il descendit à la salle à manger et se mit à souper sans rien dire. Il but durant quatre heures sans pouvoir se consoler, et finit par tomber sous la table. Pendant ce temps Zerbin rêvait tout à son aise; Aléli, seule, ne dormait pas.

XI

On se lasse de tout, même du bonheur, dit un proverbe; à plus forte raison se lasse-t-on d'aller en mer sur un navire où personne ne parle, et qui va je ne sais où.

Aussi, dès que Mistigris eut repris ses sens et recouvré la parole, n'eut-il d'autre idée que d'amener Zerbin à souhaiter d'être à terre. La chose était difficile; l'adroit courtisan craignait toujours quelque voeu indiscret qui le renverrait chez les poissons: il tremblait par-dessus tout que Zerbin ne regrettât ses bois et sa cognée. Devenez donc le ministre d'un bûcheron!

Par bonheur Zerbin s'était réveillé dans une humeur charmante; il s'habituait à la princesse, et, si brute qu'il fût, cette aimable figure l'égayait. Mistigris voulut saisir l'occasion; mais, hélas! les femmes sont si peu raisonnables, quand par hasard elles aiment! Aléli disait à Zerbin combien il serait doux de vivre ensemble, seuls, loin du monde et du bruit, dans quelque chaumière tranquille, au milieu d'un verger, au bord d'un ruisseau. Sans rien comprendre à cette poésie, le bon Zerbin écoutait avec plaisir ces douces paroles qui le berçaient.

—Une chaumière, avec des vaches et des poules, disait-il, ce serait joli. Si…

Mistigris se sentit perdu et frappa un grand coup.

—Ah! seigneur! s'écria-t-il, regardez donc là-bas en face de vous. Que c'est beau!

—Quoi donc? dit la princesse, je ne vois rien.

—Ni moi non plus, dit Zerbin en se frottant les yeux.

—Est-ce possible? reprit Mistigris d'un air étonné. Quoi! vous ne voyez pas ce palais de marbre qui brille au soleil, et ce grand escalier, tout garni d'orangers, qui par cent marches descend majestueusement au bord de la mer?

—Un palais? dit Aléli. Pour être entourée de courtisans, d'égoïstes et de valets, je n'en veux pas. Fuyons.

—Oui, dit Zerbin, une chaumière vaut mieux; on y est plus tranquille.

—Ce palais-là ne ressemble à aucun autre, s'écria Mistigris, chez qui la peur excitait l'imagination. Dans cette demeure féerique il n'y a ni courtisans ni valets; on est servi de façon invisible; on est tout à la fois seul et entouré! Les meubles ont des mains, les murs ont des oreilles.

—Ont-ils une langue? dit Zerbin.

—Oui, reprit Mistigris; ils parlent et disent tout, mais ils se taisent quand on veut.

—Eh bien! dit le bûcheron, ils ont plus d'esprit que toi. Je voudrais bien avoir un château comme ça. Où est-il donc, ce beau palais? Je ne le vois pas.

—Il est là devant vous, mon ami, dit la princesse.

Le vaisseau avait couru vers la terre, et déjà on jetait l'ancre dans un port où l'eau était assez profonde pour qu'on pût aborder à quai. Le port était à demi entouré par un grand escalier en fer à cheval; au-dessus de l'escalier, sur une plate-forme immense et qui dominait la mer, s'élevait le plus riant palais qu'on ait jamais rêvé.

Les trois amis montèrent gaiement; Mistigris allait en tête, tout en soufflant à chaque marche. Arrivé à la grille du château, il voulut sonner; pas de cloche; il appela: ce fut la Grille elle-même qui répondit.

—Que veux-tu, étranger? demanda-t-elle.

—Parler au maître de ce logis, dit Mistigris, un peu intrigué de causer pour la première fois avec du fer battu.

—Le maître de ce palais est le seigneur Zerbin, répondit la Grille. Quand il approchera, j'ouvrirai.

Zerbin arrivait, donnant le bras à la belle Aléli; la Grille s'écarta avec respect et laissa passer les deux époux, suivis de Mistigris.

Une fois sur la terrasse, Aléli regarda le spectacle splendide qu'elle avait sous les yeux: la mer, la mer immense, toute brillante au soleil du matin.

—Qu'il fait bon ici! dit-elle, et qu'on serait bien, assis sous cette galerie, toute garnie de lauriers en fleur!

—Oui, dit Zerbin, mettons-nous par terre.

—Il n'y a donc pas de fauteuils, ici? s'écria Mistigris.

—Nous voici, nous voici, crièrent les fauteuils; et ils arrivèrent tous, courant l'un après l'autre, aussi vite que leurs quatre pieds le permettaient.

—On déjeunerait bien ici, dit Mistigris.

—Oui, dit Zerbin; mais où est la table?

—Me voilà, me voilà, répondit une voix de contralto.

Et une belle table d'acajou, marchant avec la gravité d'une matrone, vint se placer devant les convives.

—C'est charmant, dit la princesse, mais où sont les plats?

—Nous voici, nous voici, crièrent des petites voix sèches: et trente plats, suivis des assiettes, leurs soeurs, et des couverts, leurs cousins, sans oublier leurs tantes, les salières, se rangèrent en un instant dans un ordre admirable sur la table, qui se couvrit de gibier, de fruits et de fleurs.

—Seigneur Zerbin, dit Mistigris, vous voyez ce que je fais pour vous. Tout ceci est mon oeuvre.

—Tu mens! cria une voix.

Mistigris se retourna et ne vit personne; c'était une colonne de la galerie qui avait parlé.

—Seigneur, dit-il, je crois que personne ne peut m'accuser d'imposture; j'ai toujours dit la vérité.

—Tu mens! dit la voix.

—Ce palais est odieux, pensa Mistigris. Si les murs y disent la vérité, on n'y établira jamais la cour, et je ne serai jamais ministre. Il faut changer cela.

—Seigneur Zerbin, reprit-il, au lieu de vivre ici solitaire, n'aimeriez-vous pas mieux avoir un bon peuple qui payerait de bons petits impôts, qui fournirait de bons petits soldats, et qui vous entourerait d'amour et de tendresse?

—Roi! dit Zerbin, pour quoi faire?

—Mon ami, ne l'écoutez pas, dit la bonne Aléli. Restons ici, nous y sommes si bien tous les deux.

—Tous les trois, dit Mistigris; je suis ici le plus heureux des hommes, et près de vous je ne désire rien.

—Tu mens! dit la voix.

—Quoi! seigneur, y a-t-il ici quelqu'un qui ose douter de mon dévouement?

—Tu mens! reprit l'écho.

—Seigneur, ne l'écoutez pas, s'écria Mistigris. Je vous honore et je vous aime; croyez à mes serments.

—Tu mens! reprit la voix impitoyable.

—Ah! si tu mens toujours, va-t-en dans la lune, dit Zerbin; c'est le pays des menteurs.

Parole imprudente, car aussitôt Mistigris partit en l'air comme une flèche et disparut au-dessus des nuages. Est-il jamais redescendu sur la terre? on l'ignore, quoique certains chroniqueurs assurent qu'il y a reparu, mais sous un autre nom. Ce qui est certain, c'est qu'on ne l'a jamais revu dans un palais où les murs mêmes disaient la vérité.

XII

Restés seuls, Zerbin croisa les bras et regarda la mer, tandis qu'Aléli se laissait aller aux plus douces pensées. Vivre dans une solitude enchantée, auprès de ce qu'on aime, n'est-ce pas ce qu'on rêve dans ses plus beaux jours? Pour connaître son nouveau domaine, elle prit le bras de Zerbin. De droite et de gauche, le palais était entouré de belles prairies arrosées d'eaux jaillissantes. Des chênes verts, des hêtres pourpres, des mélèzes aux fines aiguilles, des platanes aux feuilles orangées allongeaient leurs grandes ombres sur le gazon. Au milieu du feuillage chantait la fauvette, dont la chanson respirait la joie et le repos. Aléli mit la main sur son coeur, et regardant Zerbin:

—Mon ami, lui dit-elle, êtes-vous heureux ici et n'avez-vous plus rien à désirer?

—Je n'ai jamais rien désiré, dit Zerbin. Qu'ai-je à demander? Demain je prendrai ma cognée et je travaillerai ferme; il y a là de beaux bois à abattre; on en peut tirer plus d'un cent de fagots.

—Ah! dit Aléli en soupirant, vous ne m'aimez pas!

—Vous aimer! dit Zerbin, qu'est-ce que c'est que ça? Je ne vous veux pas de mal, assurément, bien au contraire; voilà un château qui nous vient des nues, il est à vous; écrivez à votre père, faites-le venir, ça me fera plaisir. Si je vous ai fait de la peine, ça n'est pas ma faute: je n'y suis pour rien. Bûcheron je suis né, bûcheron je veux mourir. Ça, c'est mon métier, et je sais me tenir à ma place. Ne pleurez pas, je ne veux rien dire qui vous afflige.

—Ah! Zerbin, s'écria la pauvre Aléli, que vous ai-je fait pour me traiter de la sorte? je suis donc bien laide et bien méchante pour que vous ne vouliez pas m'aimer?

—Vous aimer! ce n'est pas mon affaire. Encore une fois, ne pleurez pas. Ça ne sert à rien. Calmez-vous, soyez raisonnable, mon enfant. Allons, bon! voilà de nouvelles larmes! eh bien! oui, si ça vous fait plaisir, je veux bien vous aimer; je vous aime, Aléli, je vous aime.

La pauvre Aléli, tout éplorée, leva les yeux: Zerbin était transformé. Il y avait dans son regard la tendresse d'un époux, le dévouement d'un homme qui donne à tout jamais son coeur et sa vie. A cette vue, Aléli se mit à pleurer de plus belle; mais, en pleurant, elle souriait à Zerbin, qui, de son côté, pour la première fois, se mit à fondre en larmes. Pleurer sans savoir pourquoi, n'est-ce pas le plus grand plaisir de la vie?

Et alors parut la fée des eaux, tenant par la main le sage Mouchamiel. Le bon roi était bien malheureux depuis qu'il n'avait plus sa fille et son ministre. Il embrassa tendrement ses enfants, leur donna sa bénédiction et leur dit adieu le même jour pour ménager son émotion, sa sensibilité et sa santé. La fée des eaux resta la protectrice des deux époux, qui vécurent longtemps dans leur beau palais, heureux d'oublier le monde, plus heureux d'en être oubliés.

Zerbin resta-t-il sot, comme l'était son père?
Son âme s'ouvrit-elle à la clarté des cieux?
On pouvait d'un seul mot lui dessiller les yeux;
Ce mot, le lui dit-on tout bas? C'est un mystère;
  Je l'ignore et je dois me taire.

Mais qu'importe, après tout? Zerbin était heureux.
On l'aimait, c'est la grande affaire;
Lui donner de l'esprit n'était pas nécessaire;
  Qu'elle soit princesse ou bergère,
Toute femme en ménage a de l'esprit pour deux.

LE PACHA BERGER

CONTE TURC

Il y avait une fois à Bagdad un pacha fort aimé du sultan, fort redouté de ses sujets. Ali (c'était le nom de notre homme) était un vrai musulman, un Turc de la vieille roche. Dès que l'aube du jour permettait de distinguer un fil blanc d'un fil noir, il étendait un tapis à terre, et, le visage tourné vers la Mecque, il faisait pieusement ses ablutions et ses prières. Ses dévotions achevées, deux esclaves noirs, vêtus d'écarlate, lui apportaient la pipe et le café. Ali s'installait sur un divan, les jambes croisées, et restait ainsi tout le long du jour. Boire à petits coups du café d'Arabie, noir, amer, brûlant, fumer lentement du tabac de Smyrne dans un long *narghilé*, dormir, ne rien faire et penser moins encore, c'était là sa façon de gouverner. Chaque mois, il est vrai, un ordre venu de Stamboul lui enjoignait d'envoyer au trésor impérial un million de piastres, l'impôt du pachalick; ce jour-là, le bon Ali, sortant de sa quiétude ordinaire, appelait devant lui les plus riches marchands de Bagdad et leur demandait poliment deux millions de piastres. Les pauvres gens levaient les mains au ciel, se frappaient la poitrine, s'arrachaient la barbe et juraient en pleurant qu'ils n'avaient pas un *para*[1]; ils imploraient la pitié du pacha, la miséricorde du sultan. Sur quoi, Ali, sans cesser de prendre son café, les faisait bâtonner sur la plante des pieds jusqu'à ce qu'on lui apportât cet argent qui n'existait pas, et qu'on finissait toujours par trouver quelque part. La somme comptée, le fidèle administrateur en envoyait la moitié au sultan et jetait l'autre moitié dans ses coffres; puis, il se remettait à fumer. Quelquefois, malgré sa patience, il se plaignait, ce jour-là, des soucis de la grandeur et des fatigues du pouvoir; mais, le lendemain, il n'y pensait plus, et, le mois suivant, il levait l'impôt avec le même calme et le même désintéressement. C'était le modèle des pachas.

[Note 1: Le para vaut quelques centimes.]

Après la pipe, le café et l'argent, ce qu'Ali aimait le mieux, c'était sa fille, *Charme-des-Yeux*. Il avait raison de l'aimer, car dans sa fille, comme dans un vivant miroir, Ali se revoyait avec toutes ses vertus. Aussi nonchalante que belle, *Charme-des-Yeux* ne pouvait faire un pas sans avoir auprès d'elle trois femmes toujours prêtes à la servir: une esclave blanche avait soin de sa coiffure et de sa toilette, une esclave jaune lui tenait le miroir ou l'éventait, une esclave noire l'amusait par ses grimaces et recevait ses caresses ou ses coups. Chaque matin, la fille du pacha sortait dans un grand chariot traîné par des boeufs; elle passait trois heures au bain, et usait le reste du temps en visites, occupée à manger des confitures de roses, à boire des sorbets à la grenade, à regarder des danseuses, à se moquer de ses bonnes amies. Après une journée si bien remplie, elle rentrait au palais, embrassait son père et dormait sans rêver. Lire, réfléchir, broder, faire de la musique, ce sont là des fatigues que *Charme-des-Yeux* avait soin de laisser à ses servantes. Quand on est jeune, belle, riche et fille de pacha, on est née pour s'amuser, et qu'y a-t-il de plus amusant et de plus glorieux que de ne rien faire? C'est ainsi que raisonnent les Turcs; mais combien de chrétiens qui sont Turcs à cet endroit!

Il n'y a point ici-bas de bonheur sans mélange; autrement la terre ferait oublier le ciel. Ali en fit l'expérience. Un jour d'impôt, le vigilant pacha, moins éveillé que de coutume, fit bâtonner par mégarde un *raya* grec, protégé de l'Angleterre. Le battu cria: c'était son droit; mais le consul anglais, qui avait mal dormi, cria plus fort que le battu, et l'Angleterre, qui ne dort jamais, cria plus fort que le consul. On hurla dans les journaux, on vociféra au parlement, on montra le poing à Constantinople. Tant de bruit pour si peu de chose fatigua le sultan, et, ne pouvant se débarrasser de sa fidèle alliée, dont il avait peur, il voulut au moins se débarrasser du pacha, cause innocente de tout ce vacarme. La première idée de Sa Hautesse fut de faire étrangler son ancien ami; mais Elle réfléchit que le supplice d'un musulman donnerait trop d'orgueil et trop de joie à ces chiens de chrétiens qui aboient toujours. Aussi, dans son inépuisable clémence, le Commandeur des Croyants se contenta-t-il d'ordonner qu'on jetât le pacha sur quelque plage déserte, et qu'on l'y laissât mourir de faim.

Par bonheur pour Ali, son successeur et son juge était un vieux pacha, chez qui l'âge tempérait le zèle, et qui savait par expérience que la volonté des sultans n'est immuable que dans l'almanach. Il se dit qu'un jour Sa Hautesse pourrait regretter un ancien ami, et qu'alors Elle lui saurait gré d'une clémence qui ne lui coûtait rien. Il se fit amener en secret Ali et sa fille, leur donna des habits d'esclave et quelques piastres, et les prévint que, si le lendemain on les retrouvait dans le pachalick, ou si jamais on entendait prononcer leur nom, il les ferait étrangler ou décapiter, à leur choix. Ali le remercia de tant de bonté; une heure après, il était parti avec une caravane qui gagnait la Syrie. Dès le soir on proclama dans les rues de Bagdad la chute et l'exil du pacha; ce fut une ivresse universelle. De toutes parts on célébrait la justice et la vigilance du sultan, qui avait toujours l'oeil ouvert sur les misères de ses enfants. Aussi, le mois suivant, quand le nouveau pacha, qui avait la main un peu lourde, demanda deux millions et demi de piastres, le bon peuple de Bagdad paya-t-il sans compter, trop heureux d'avoir enfin échappé aux serres du brigand qui, durant tant d'années, l'avait pillé impunément.

Sauver sa tête est une bonne chose, mais ce n'est pas tout: il faut vivre, et c'est une besogne assez difficile pour un homme habitué à compter sur le travail et l'argent d'autrui. En arrivant à Damas, Ali se trouva sans ressources. Inconnu, sans amis, sans parents, il mourait de faim, et, douleur plus grande pour un père! il voyait sa fille pâlir et dépérir auprès de lui. Que faire en cette extrémité? Tendre la main? Cela était indigne d'un personnage qui, la veille encore, avait un peuple à ses genoux. Travailler? Ali avait toujours vécu noblement, il ne savait rien faire. Tout son secret, quand il avait besoin d'argent, c'était de faire bâtonner les gens; mais, pour exercer en paix cette industrie respectable, il faut être pacha et avoir un privilège du sultan. Faire ce métier en amateur, à ses risques et périls, c'était s'exposer à être pendu comme voleur de grand chemin. Les pachas n'aiment pas la concurrence, Ali en savait quelque chose: la plus belle action de sa vie, c'était d'avoir fait étrangler de temps à autre quelque petit larron qui avait eu la sottise de chasser sur les terres des grands.

Un jour qu'il n'avait pas mangé, et que *Charme-des-Yeux*, épuisée par le jeûne, n'avait pu quitter la natte où elle était couchée, Ali, rôdant par les rues de Damas, comme un loup affamé, aperçut des hommes qui chargeaient des cruches d'huile sur leur tête et les portaient à un magasin peu éloigné. A l'entrée du magasin était un commis, qui payait à chaque porteur un *para* par voyage. La vue de cette petite pièce de cuivre fit tressaillir l'ancien pacha. Il se mit à la file, et, montant un étroit escalier, reçut en charge une énorme jarre, qu'il avait grand'peine à tenir en équilibre sur sa tête, même en y portant les deux mains.

Le cou ramassé, les épaules relevées, le front tendu, Ali descendait pas à pas, quand, à la troisième marche, il sentit que son fardeau penchait en avant. Il se rejette en arrière, le pied lui glisse, il roule jusqu'au bas de l'escalier, suivi de la jarre brisée en éclats et des flots d'huile qui l'inondent. Il se relevait tout honteux, quand il se sentit pris au collet par le commis de la maison.

—Maladroit, lui dit ce dernier, paye-moi vite cinquante piastres pour réparer ta sottise, et sors d'ici! Quand on ne sait pas un métier, on ne s'en mêle pas.

—Cinquante piastres! dit Ali en souriant avec amertume. Où voulez-vous que je les prenne? Je n'ai pas un *para*.

—Si tu ne payes pas avec ta bourse, tu payeras avec ta peau, reprit le commis sans sourciller.

Et, sur un signe de cet homme, Ali, saisi par quatre bras vigoureux, fut jeté à terre, ses pieds passés entre deux cordes, et là, dans une attitude où il n'avait que trop souvent mis les autres, il reçut sur la plante des pieds cinquante coups de bâton aussi vertement appliqués que si un pacha eût présidé à l'exécution.

Il se releva sanglant et boiteux des deux jambes, s'enveloppa les pieds de quelques haillons et se traîna vers sa maison en soupirant.

—Dieu est grand, murmurait-il; il est juste que je souffre ce que j'ai fait souffrir. Mais les marchands de Bagdad que je faisais bâtonner étaient plus heureux que moi: ils avaient des amis qui payaient pour eux, et, moi, je meurs de faim, et j'en suis pour mes coups de bâton.

Il se trompait: une bonne femme qui, par hasard ou par curiosité, avait vu sa mésaventure, le prit en pitié. Elle lui donna de l'huile pour panser ses blessures, un petit sac de farine et quelques poignées de lupins pour vivre en attendant la guérison, et, ce soir-là même, pour la première fois depuis sa chute, Ali put dormir sans s'inquiéter du lendemain.

Rien n'aiguise l'esprit comme la maladie et la solitude. Dans sa retraite forcée, Ali eut une idée lumineuse: «J'ai été un sot, pensa-t-il, de prendre le métier de portefaix: un pacha n'a pas la tête forte; c'est aux boeufs qu'il faut laisser cet honneur. Ce qui distingue les gens de ma condition, c'est l'adresse, c'est la légèreté des mains; j'étais un chasseur sans pareil; de plus, je sais comment l'on flatte et l'on ment; je m'y connais, j'étais pacha: choisissons un état où je puisse étonner le monde par ces brillantes qualités et conquérir rapidement une honnête fortune.»

Sur ces réflexions, Ali se fit barbier.

Les premiers jours tout alla bien: le patron du nouveau barbier lui faisait tirer de l'eau, laver la boutique, secouer les nattes, ranger les ustensiles, servir le café et les pipes aux habitués. Ali se tirait à merveille de ces fonctions délicates. Si, par hasard, on lui confiait la tête de quelque paysan de la montagne, un coup de rasoir donné de travers passait inaperçu: ces bonnes gens ont la peau dure et n'ignorent pas qu'ils sont faits pour être écorchés; un peu plus, un peu moins, cela ne les change guère et n'émeut en rien leur stupidité.

Un matin, en l'absence du patron, il entra dans la boutique un grand personnage dont la vue seule était faite pour intimider le pauvre Ali. C'était le bouffon du pacha, un horrible petit bossu qui avait la tête en citrouille, avec les longue pattes velues, l'oeil inquiet et les dents d'un singe. Tandis qu'on lui versait sur le crâne les flots d'une mousse odorante, le bouffon, renversé sur son siège, s'amusait à pincer le nouveau barbier, à lui rire au nez, à lui tirer la langue. Deux fois, il lui fit tomber des mains le bassin de savon, ce qui deux fois le mit en telle joie qu'il lui jeta quatre *paras*. Cependant le prudent Ali ne perdait rien de son sérieux; tout entier au soin d'une tête si chère, il faisait marcher son rasoir avec une régularité, avec une légèreté admirables, quand tout à coup le bossu fit une grimace si hideuse et poussa un tel cri, que le barbier, effrayé, retira brusquement la main, emportant au bout de son rasoir la moitié d'une oreille, et ce n'était pas la sienne.

Les bouffons aiment à rire, mais c'est aux dépens d'autrui. Il n'y a pas de gens qui aient l'épiderme plus sensible que ceux qui daubent sur la peau de leurs voisins. Tomber à coups de poing sur Ali et l'étrangler, tout en criant à l'assassin, ce fut pour le bossu l'affaire d'un instant. Par bonheur pour Ali, l'entaille était si forte, qu'il fallut bien que le blessé songeât à son oreille, d'où jaillissait un flot de sang. Ali saisit ce moment favorable et se mit à fuir dans les ruelles de Damas avec la légèreté d'un homme qui n'ignore pas que, s'il est pris, il est pendu.

Après mille détours, il se cacha dans une cave ruinée et n'osa regagner sa demeure qu'au milieu des ténèbres et du silence de la nuit. Rester à Damas après un tel accident, c'était une mort certaine; Ali n'eut pas de peine à convaincre sa fille qu'il fallait partir, et sur l'heure. Leur bagage ne les gênait guère; avant l'aurore ils avaient gagné la montagne. Trois jours durant, ils marchèrent sans s'arrêter, n'ayant pour vivres que quelques figues dérobées aux arbres du chemin, avec un peu d'eau trouvée à grand'peine au fond des ravines desséchées. Mais toute misère à sa douceur, et il est vrai de dire qu'au temps de leurs splendeurs jamais le pacha ni sa fille n'avaient bu ni mangé de meilleur appétit.

A leur dernière étape, les fugitifs furent accueillis par un brave paysan qui pratiquait largement la sainte loi de l'hospitalité. Après souper, il fit causer Ali, et, le voyant sans ressources, il lui offrit de le prendre pour berger. Conduire à la montagne une vingtaine de chèvres, suivies d'une cinquantaine de brebis, ce n'était pas un métier difficile; deux bons chiens faisaient le plus fort de la besogne; on ne courait pas risque d'être battu pour sa maladresse, on avait à discrétion le lait et le fromage, et, si le fermier ne donnait pas un *para*, du moins il permettait à *Charme-des-Yeux* de prendre autant de laine qu'elle en pourrait filer pour les habits de son père et les siens. Ali, qui n'avait que le choix de mourir de faim ou d'être pendu, se décida, sans trop de peine, à mener la vie des patriarches. Dès le lendemain, il s'enfonça dans la montagne avec sa fille, ses chiens et son troupeau.

[Illustration: Elle songeait à Bagdad, et sa quenouille ne lui faisait point oublier les doux loisirs d'autrefois.]

Une fois aux champs, Ali retomba dans son indolence. Couché sur le dos et fumant sa pipe, il passait le temps à regarder les oiseaux qui tournaient dans le ciel. La pauvre *Charme-des-Yeux* était moins patiente: elle songeait à Bagdad, et sa quenouille ne lui faisait point oublier les doux loisirs d'autrefois.

—Mon père, disait-elle souvent, à quoi bon la vie quand elle n'est qu'une perpétuelle misère? N'aurait-il pas mieux valu en finir tout d'un coup que de mourir à petit feu?

—Dieu est grand, ma fille, répondait le sage berger, ce qu'il fait est bien fait. J'ai le repos; à mon âge, c'est le premier des biens; aussi, tu le vois, je me résigne. Ah! si seulement j'avais appris un métier! Toi, tu as la jeunesse et l'espérance, tu peux attendre un retour de fortune. Que de raisons pour te consoler!

—Je me résigne, mon bon père, disait *Charme-des-Yeux* en soupirant.

Et elle se résignait d'autant moins qu'elle espérait davantage.

Il y avait plus d'un an qu'Ali menait cette heureuse vie dans la solitude quand, un matin, le fils du pacha de Damas alla chasser dans la montagne. En poursuivant un oiseau blessé, il s'était égaré; seul et loin de sa suite, il cherchait à retrouver son chemin en descendant le cours d'un ruisseau, quand, au détour d'un rocher, il aperçut en face de lui une jeune fille qui, assise sur l'herbe et les pieds dans l'eau, tressait sa longue chevelure. A la vue de cette belle créature, Yousouf poussa un cri. *Charme-des-Yeux* leva la tête. Effrayée de voir un étranger, elle s'enfuit auprès de son père et disparut aux regards du prince étonné.

—Qu'est cela? pensa Yousouf. La fleur de la montagne est plus fraîche que la rose de nos jardins; cette fille du désert est plus belle que nos sultanes. Voici la femme que j'ai rêvée.

Il courut sur les traces de l'inconnue aussi vite que le permettaient les pierres qui glissaient sous ses pieds. Il trouva enfin *Charme-des-Yeux* occupée à traire les brebis, tandis qu'Ali appelait à lui les chiens, dont les aboiements furieux dénonçaient l'approche d'un étranger. Yousouf se plaignit d'être égaré et de mourir de soif. *Charme-des-Yeux* lui apporta aussitôt du lait dans un grand vase de terre; il but lentement, sans rien dire, en regardant le père et la fille; puis, enfin, il se décida à demander son chemin. Ali, suivi de ses deux chiens, conduisit le chasseur jusqu'au bas de la montagne, et revint tremblant. L'inconnu lui avait donné une pièce d'or: c'était donc un officier du sultan, un pacha peut-être? Pour Ali, qui jugeait avec ses propres souvenirs, un pacha était un homme qui ne pouvait que faire le mal, et dont l'amitié n'était pas moins redoutable que la haine.

En arrivant à Damas, Yousouf courut se jeter au cou de sa mère; il lui répéta qu'elle était belle comme à seize ans, brillante comme la lune dans son plein, qu'elle était sa seule amie, qu'il n'aimait qu'elle au monde, et, disant cela, il lui baisait mille et mille fois les mains.

La mère se mit à sourire: «Mon enfant, lui dit-elle, tu as un secret à me confier: parle vite. Je ne sais pas si je suis aussi belle que tu le dis; mais ce dont je suis sûre, c'est que jamais tu n'auras de meilleure amie que moi.»

Yousouf ne se fit pas prier; il brûlait de raconter ce qu'il avait vu dans la montagne; il fit un portrait merveilleux de la belle inconnue, déclara qu'il ne pouvait vivre sans elle, et qu'il voulait l'épouser dès le lendemain.

—Un peu de patience, mon fils, lui répétait sa mère; laisse-nous savoir quel est ce miracle de beauté; après cela, nous déciderons ton père, et nous le ferons consentir à cette heureuse union.

Quand le pacha connut la passion de son fils, il commença par se récrier et finit par se mettre en colère. Manquait-il à Damas des filles riches et bien faites, pour qu'il fût nécessaire d'aller chercher au désert une gardeuse de moutons? Jamais il ne donnerait les mains à ce triste mariage, jamais!

Jamais est un mot qu'un homme prudent ne doit point prononcer dans son ménage, quand il a contre lui sa femme et son fils. Huit jours n'étaient pas écoulés que le pacha, ému par les larmes de la mère, par la pâleur et le silence du fils, en arrivait de guerre lasse à céder. Mais, en homme fort et qui s'estime à son juste prix, il déclara hautement qu'il faisait une sottise et qu'il le savait.

—Soit! que mon fils épouse une bergère et que sa folie retombe sur sa tête; je m'en lave les mains. Mais, pour que rien ne manque à cette union ridicule, qu'on appelle mon bouffon. C'est à lui seul qu'il appartient d'obtenir et d'amener ici cette misérable chevrière qui a jeté un sort sur ma maison.

Une heure après, le bossu, monté sur un âne, gagnait la montagne, maudissant le caprice du pacha et les amours de Yousouf. Y avait-il du bon sens d'envoyer en ambassade à un berger, par la poussière et le soleil, un homme délicat, né pour vivre sous les lambris d'un palais, et qui charmait les princes et les grands par la finesse du son esprit? Mais, hélas! la fortune est aveugle: elle met les sots au pinacle, et réduit au métier de bouffon le génie qui ne veut pas mourir de faim.

Trois jours de fatigue n'avaient pas adouci l'humeur du bossu, quand il aperçut Ali, couché à l'ombre d'un caroubier, et plus occupé de sa pipe que de ses brebis. Le bouffon piqua son âne et s'avança vers le berger avec la majesté d'un vizir.

—Drôle, lui dit-il, tu as ensorcelé le fils du pacha: il te fait l'honneur d'épouser ta fille. Décrasse au plus vite cette perle de la montagne, il faut que je l'emmène à Damas. Quant à toi, le pacha t'envoie cette bourse et t'ordonne de vider au plus tôt le pays.

Ali laissa tomber la bourse qu'on lui jetait, et, sans retourner la tête, demanda au bossu ce qu'il voulait.

—Bête brute, reprit ce dernier, ne m'as-tu pas entendu? Le fils du pacha prend ta fille en mariage.

—Qu'est-ce que fait le fils du pacha? dit Ali.

—Ce qu'il fait? s'écria le bouffon, en éclatant de rire. Double pécore que tu es, t'imagines-tu qu'un si haut personnage soit un rustre de ton espèce? Ne sais-tu pas que le pacha partage avec le sultan la dîme de la province, et que, sur les quarante brebis que tu gardes si mal, il y en a quatre qui lui appartiennent de droit, et trente-six qu'il peut prendre à sa volonté?

—Je ne te parle point du pacha, reprit tranquillement Ali. Que Dieu protège Son Excellence! Je te demande ce que fait son fils. Est-il armurier?

—Non, imbécile.

—Forgeron?

—Encore moins.

—Charpentier?

—Non.

—Chaufournier?

—Non, non. C'est un grand seigneur. Entends-tu, triple sot! il n'y a que les gueux qui travaillent. Le fils du pacha est un noble personnage, ce qui veut dire qu'il a les mains blanches et qu'il ne fait rien.

—Alors il n'aura pas ma fille, dit gravement le berger: un ménage coûte cher, je ne donnerai jamais mon enfant à un mari qui ne peut pas nourrir sa femme. Mais peut-être le fils du pacha a-t-il quelque métier moins rude. N'est-il point brodeur?

—Non, dit le bouffon, en haussant les épaules.

—Tailleur?

—Non.

—Potier?

—Non.

—Vannier?

—Non.

—Il est donc barbier?

—Non, dit le bossu, rouge de colère. Finis cette sotte plaisanterie, ou je te fais rouer de coups. Appelle ta fille; je suis pressé.

—Ma fille ne partira pas, répondit le berger.

Il siffla ses chiens, qui vinrent se ranger auprès de lui en grognant et en montrant des crocs qui ne parurent charmer que médiocrement l'envoyé du pacha.

Il retourna sa monture, et menaçant du poing Ali qui retenait ses dogues au poil hérissé:

—Misérable! lui cria-t-il, tu auras bientôt de mes nouvelles; tu sauras ce qu'il en coûte pour avoir une autre volonté que celle du pacha, ton maître et le mien.

Le bouffon rentra dans Damas avec sa moitié d'oreille plus basse que de coutume. Heureusement pour lui, le pacha prit la chose du bon côté. C'était un petit échec pour sa femme et son fils; pour lui, c'était un triomphe: double succès qui chatouillait agréablement son orgueil.

—Vraiment, dit-il, le bonhomme est encore plus fou que mon fils; mais rassure-toi, Yousouf, un pacha n'a que sa parole. Je vais envoyer dans la montagne quatre cavaliers qui m'amèneront la fille; quant au père, ne t'en embarrasse pas, je lui réserve un argument décisif.

Et, disant cela, il fit gaiement un geste de la main, comme s'il coupait devant lui quelque chose qui le gênait.

Sur un signe de sa mère, Yousouf se leva et supplia son père de lui laisser l'ennui de mener à fin cette petite aventure. Sans doute le moyen proposé était irrésistible. Mais *Charme-des-Yeux* avait peut-être la faiblesse d'aimer le vieux berger, elle pleurerait; et le pacha ne voudrait pas attrister les premiers beaux jours d'un mariage. Yousouf espérait qu'avec un peu de douceur il viendrait facilement à bout d'une résistance qui ne lui semblait pas sérieuse.

—Fort bien, dit le pacha. Tu veux avoir plus d'esprit que ton père; c'est l'usage des fils. Va donc, et fais ce que tu voudras; mais je te préviens qu'à compter d'aujourd'hui je ne me mêle plus de tes affaires. Si ce vieux fou de berger te refuse, tu en seras pour ta honte. Je donnerais mille piastres pour te voir revenir aussi sot que le bossu.

Yousouf sourit, il était sûr de réussir. Comment *Charme-des-Yeux* ne l'aimerait-elle pas? Il l'adorait. Et d'ailleurs à vingt ans doute-t-on de soi-même et de la fortune? Le doute est fait pour ceux que la vie a trompés, non pour ceux qu'elle enivre de ses premières illusions.

Ali reçut Yousouf avec tout le respect qu'il devait au fils du pacha; il le remercia, et en bons termes, de son honorable proposition; mais sur le fond des choses il fut inexorable. Point de métier, point de mariage; c'était à prendre ou à laisser. Le jeune homme comptait que *Charme-des-Yeux* viendrait à son secours; mais *Charme-des-Yeux* était invisible; et il y avait une grande raison pour qu'elle ne désobéit pas à son père: c'est que le prudent Ali ne lui avait pas dit un mot de mariage. Depuis la visite du bouffon il la tenait soigneusement enfermée au logis.

Le fils du pacha descendit de la montagne la tête basse. Que faire? Rentrer à Damas, pour y être en butte aux railleries de son père, jamais Yousouf ne s'y résignerait. Perdre *Charme-des-Yeux*? plutôt la mort. Faire changer d'avis à cet entêté de vieux berger? Yousouf ne pouvait l'espérer; et il en venait presque à regretter de s'être perdu par trop de bonté!

Au milieu de ces tristes réflexions, il s'aperçut que son cheval, abandonné à lui-même, l'avait égaré. Yousouf se trouvait sur la lisière d'un bois d'oliviers. Dans le lointain était un village; la fumée bleuâtre montait au-dessus des toits; on entendait l'aboiement des chiens, le chant des ouvriers, le bruit de l'enclume et du marteau.

Une idée saisit Yousouf. Qui l'empêchait d'apprendre un métier? Était-ce si difficile? *Charme-des-Yeux* ne valait-elle pas tous les sacrifices? Le jeune homme attacha à un olivier son cheval, ses armes, sa veste brodée, son turban. A la première maison il se plaignit d'avoir été dépouillé par les Bédouins, acheta un habit grossier, et, ainsi déguisé, il alla de porte en porte s'offrir comme apprenti.

Yousouf avait si bonne mine que chacun l'accueillit à merveille; mais les conditions qu'on lui fit l'effrayèrent. Le forgeron lui demanda deux ans pour l'instruire, le potier un an, le maçon six mois; c'était un siècle! Le fils du pacha ne pouvait se résigner à cette longue servitude, quand une voix glapissante l'appela:

—Hola, mon fils, lui criait-on, si tu es pressé et si tu n'as pas d'ambition, viens avec moi: en huit jours je te ferai gagner ta vie.

Yousouf leva la tête. A quelques pas devant lui, était assis sur un banc, les jambes croisées, un gros petit homme au ventre rebondi, à la face réjouie: c'était un vannier. Il était entouré de brins de paille et de joncs, teints en toutes couleurs; d'une main agile il tressait des nattes, qu'il cousait ensuite pour en faire des paniers, des corbeilles, des tapis, des chapeaux variés de nuances et de dessin. C'était un spectacle qui charmait les yeux.

—Vous êtes mon maître, dit Yousouf, en prenant la main du vannier. Et, si vous pouvez m'apprendre votre métier en deux jours, je vous paierai largement votre peine. Voici mes arrhes.

Disant cela, il jeta deux pièces d'or à l'ouvrier ébahi.

Un apprenti qui sème l'or à pleines mains, cela ne se voit pas tous les jours; le vannier ne douta point qu'il n'eût affaire à un prince déguisé; aussi fit-il merveille. Et, comme son élève ne manquait ni d'intelligence ni de bonne volonté, avant le soir il lui avait appris tous les secrets du métier.

—Mon fils, lui dit-il, ton éducation est faite, tu vas juger toi-même si ton maître a gagné son argent. Voici le soleil qui se couche; c'est l'heure où chacun quitte son travail et passe devant ma porte. Prends cette natte que tu as tressée et cousue de tes mains, offre-la aux acheteurs. Ou je me trompe fort, ou tu peux en avoir quatre *paras*. Pour un début, c'est un joli denier.

Le vannier ne se trompait pas: le premier acheteur offrit trois *paras*, on lui en demanda *cinq*, et il ne fallut pas plus d'une heure de débats et de cris pour qu'il se décidât à en donner quatre. Il tira sa longue bourse, regarda plusieurs fois la natte, en fit la critique, et enfin se décida à compter ses quatre pièces de cuivre, l'une après l'autre. Mais, au lieu de prendre cette somme, Yousouf donna une pièce d'or à l'acheteur, il en compta dix au vannier, et, s'emparant de son chef-d'oeuvre, il sortit du village en courant comme un fou. Arrivé près de son cheval, il étendit la natte à terre, s'enveloppa la tête dans son burnous et dormit du sommeil le plus agité, et cependant le plus doux qu'il eût goûté de sa vie.

Au point du jour, quand Ali arriva au pâturage avec ses brebis, il fut fort étonné de voir Yousouf installé avant lui sous le vieux caroubier. Dès qu'il aperçut le berger, le jeune homme se leva, et prenant la natte sur laquelle il était couché:

—Mon père, lui dit-il, vous m'avez demandé d'apprendre un métier; je me suis fait instruire; voici mon travail, examinez-le.

—C'est un joli morceau, dit Ali; si ce n'est pas encore très bien tressé, c'est honnêtement cousu. Qu'est-ce qu'on peut gagner à faire par jour une natte comme celle-là?

—Quatre *paras*, dit Yousouf, et avec un peu d'habitude j'en ferai deux au moins dans une journée.

—Soyons modeste, reprit Ali; la modestie convient au talent qui commence. Quatre *paras* par jour, ce n'est pas beaucoup; mais quatre *paras* aujourd'hui et quatre *paras* demain, cela fait huit *paras*, et quatre *paras* après-demain, cela fait douze *paras*. Enfin, c'est un état qui fait vivre son homme, et, si j'avais eu l'esprit de l'apprendre quand j'étais pacha, je n'aurais pas été réduit à me faire berger.

Qui fut étonné de ces paroles? ce fut Yousouf. Ali lui conta toute son histoire; c'était risquer sa tête, mais il faut pardonner un peu d'orgueil à un père. En mariant sa fille, Ali n'était pas fâché d'apprendre à son gendre que *Charme-des-Yeux* n'était pas indigne de la main d'un fils de pacha.

Ce jour-là on rentra les brebis avant l'heure. Yousouf voulut remercier lui-même l'honnête fermier qui avait reçu le pauvre Ali et sa fille; il lui donna une bourse pleine d'or pour le récompenser de sa charité. Rien n'est libéral comme un homme heureux. *Charme-des-Yeux*, présentée au chasseur de la montagne, et prévenue des projets de Yousouf, déclara que le premier devoir d'une fille était d'obéir à son père. En pareil cas, dit-on, les filles sont toujours obéissantes en Turquie.

Le soir même, à la fraîcheur de la nuit tombante, on se mit en route pour Damas. Les chevaux étaient légers, les coeurs plus légers encore, on allait comme le vent; avant la fin du second jour on était arrivé. Yousouf voulut présenter sa fiancée à sa mère. Quelle fut la joie de la sultane, il n'est besoin de le dire. Après les premières caresses, elle ne put résister au plaisir de montrer à son époux qu'elle avait plus d'esprit que lui, et se fit une joie de lui révéler la naissance de la belle *Charme-des-Yeux*.

—Par Allah! s'écria le pacha, en caressant sa longue barbe afin de se donner une contenance et de cacher son trouble, vous imaginez-vous, Madame, qu'on puisse surprendre un homme d'État tel que moi! Aurais-je consenti à cette union, si je n'avais connu ce secret qui vous étonne? Sachez qu'un pacha sait tout?

Et sur l'heure il rentra dans son cabinet pour écrire au sultan, afin qu'il ordonnât du sort d'Ali. Il ne se souciait point de déplaire à Sa Hautesse pour les beaux yeux d'une famille proscrite. La jeunesse aime le roman dans la vie, mais le pacha était un homme sérieux, qui tenait à vivre et à mourir pacha.

Tous les sultans aiment les histoires, si l'on en croit *les Mille et une nuits*. Le protecteur d'Ali n'avait pas dégénéré de ses ancêtres; il envoya tout exprès un navire en Syrie pour qu'on lui amenât à Constantinople l'ancien gouverneur de Bagdad. Ali, revêtu de ses haillons, et sa houlette à la main, fut conduit au sérail, et, devant une nombreuse audience, il eut la gloire d'amuser son maître toute une après-dînée.

Quand Ali eut terminé son récit, le sultan lui fit revêtir une pelisse d'honneur. D'un pacha Sa Hautesse avait fait un berger; elle voulait maintenant étonner le monde par un nouveau miracle de sa toute-puissance, et d'un berger elle refaisait un pacha.

A cet éclatant témoignage de faveur, toute la cour applaudit. Ali se jeta aux pieds du sultan pour décliner un honneur qui ne le séduisait plus. Il ne voulait pas, disait-il, courir le risque de déplaire une seconde fois au Maître du monde, et demandait à vieillir dans l'obscurité, en bénissant la main généreuse qui le retirait de l'abîme où il était justement tombé.

La hardiesse d'Ali effraya l'assistance, mais le sultan sourit:

—Dieu est grand, s'écria-t-il, et nous garde chaque jour une surprise nouvelle. Depuis vingt ans que je règne, voici la première fois qu'un de mes sujets me demande à n'être rien. Pour la rareté du fait, Ali, je t'accorde ta prière; tout ce que j'exige, c'est que tu acceptes un don de mille bourses[1]. Personne ne doit me quitter les mains vides.

[Note 1: A peu près trois cent mille francs.]

De retour à Damas, Ali acheta un beau jardin, tout rempli d'oranges, de citrons, d'abricots, de prunes, de raisins. Bêcher, sarcler, greffer, tailler, arroser, c'était là son plaisir; tous les soirs, il se couchait le corps fatigué, l'âme tranquille; tous les matins, il se levait le corps dispos, le coeur léger.

Charme-des-Yeux eut trois fils, tous plus beaux que leur mère. Ce fut le vieil Ali qui se chargea de les élever. A tous il enseigna le jardinage; à chacun d'eux il fit apprendre un métier différent. Pour graver dans leur coeur la vérité qu'il n'avait comprise que dans l'exil, Ali avait fait mouler sur les murs de sa maison et de son jardin les plus beaux passages du Coran, et au-dessous il avait placé ces maximes de sagesse que le Prophète lui-même n'eut pas désavouées: *Le travail est le seul trésor qui ne manque jamais. Use tes mains au travail, tu ne les tendras jamais à l'aumône. Quand tu sauras ce qu'il en coûte pour gagner un para, tu respecteras le bien et la peine d'autrui. Le travail donne santé, sagesse et joie. Travail et ennui n'ont jamais habité sous le même toit.*

C'est au milieu de ces sages enseignements que grandirent les trois fils de *Charme-des-Yeux*. Tous trois furent pachas. Profitèrent-ils des conseils de leur aïeul? J'aime à le croire, quoique les annales des Turcs n'en disent rien. On n'oublie pas ces premières leçons de l'enfance; c'est à l'éducation que nous devons les trois quarts de nos vices et la moitié de nos vertus. Hommes de bien, souvenez-vous de ce que vous devez à vos pères et dites-vous que, la plupart du temps, les méchants et les pachas ne sont que des enfants mal élevés.

PERLINO

CONTE NAPOLITAIN

—Mère-grand, pourquoi riez-vous si fort? —Parce que j'ai envie de pleurer, mon enfant. (*Le Petit Chaperon rouge*, version bulgare.)

I

LA SIGNORA PALOMBA

Caton, ce vrai sage, a dit, je ne sais où, qu'en toute sa vie il s'était repenti de trois choses: la première, c'était d'avoir confié son secret à une femme; la seconde, d'avoir passé un jour entier sans rien faire; la troisième, d'être allé par mer quand il pouvait prendre un chemin plus solide et plus sûr. Les deux premiers regrets de Caton, je les laisse à qui veut s'en charger: il n'est jamais prudent de se mettre mal avec la plus douée moitié du genre humain, et médire de la paresse n'appartient pas à tout le monde; mais la troisième maxime, on devrait l'écrire en lettres d'or sur le pont de tous les navires, comme un avis aux imprudents. Faute d'y songer, je me suis souvent embarqué; l'expérience d'autrui ne nous sert pas plus que la nôtre. Mais, à peine sorti du port, la mémoire me revenait aussitôt; et que de fois, en mer comme ailleurs, n'ai-je pas senti, mais trop tard, que je n'étais pas un Caton!

Un jour, surtout, je m'en souviens encore, je rendis pleine justice à la sagesse du vieux Romain. J'étais parti de Salerne par un soleil admirable; mais, à peine en mer, la bourrasque nous surprit et nous poussa vers Amalfi avec une rapidité que nous ne souhaitions guère. En un instant je vis l'équipage pâlir, gesticuler, crier, jurer, pleurer, prier, puis je ne vis plus rien. Battu du vent et de la pluie, mouillé jusqu'aux os, j'étais étendu au fond de la barque, les yeux fermés, le coeur malade, oubliant tout à fait que je voyageais pour mon plaisir, quand, une brusque secousse me rappelant à moi-même, je me sentis saisi par une main vigoureuse. Au-dessus de moi, et me tirant par les épaules, était le patron, l'air réjoui, le regard enflammé. «Du courage, Excellence, me criait-il en me remettant sur pied, la barque est à terre; nous sommes à Amalfi. Debout! un bon dîner vous remettra le coeur; l'orage est passé, ce soir nous irons à Sorrente!

Le temps, la mer, le fou, la forante et la fortune
Tournent comme le vent, changent comme la lune.

Je sortis du bateau plus ruisselant qu'Ulysse après son naufrage, et, comme lui, très disposé à baiser la terre qui ne bouge pas. Devant moi étaient les quatre matelots, la rame sur l'épaule, prêts à m'escorter en triomphe jusqu'à l'auberge de la Lune, qu'on apercevait sur la hauteur. Ses murs blanchis à la chaux brillaient aux feux du jour, comme la neige sur les montagnes. Je suivis mon cortège, mais non pas avec la fierté d'un vainqueur; je montai tristement et lentement un escalier qui n'en finissait pas, regardant les vagues qui se brisaient au rivage, comme furieuses de nous avoir lâchés. J'entrai, enfin, dans l'*osteria*, il était midi: tout dormait, la cuisine même était déserte; il n'y avait, pour me recevoir, qu'une couvée de poulets maigres qui, à mon approche, se prit à crier comme les oies du Capitole. Je traversai leur bande effrayée pour me réfugier sur une terrasse en arceaux, toute pleine de soleil; là, m'emparant d'une chaise que j'enfourchai, et appuyant mes bras et ma tête sur le dossier, je me mis, non pas à réfléchir, mais à me sécher, tandis que la maison, et la ville, et la mer, et les cieux eux-mêmes continuaient à danser autour de moi.

Je me perdais dans mes rêveries, quand la patronne de l'osteria s'avança vers moi, traînant ses pantoufles avec une noblesse de reine. Qui a visité Amalfi n'oubliera jamais l'énorme et majestueuse Palomba.

—Que désire Votre Excellence? me dit-elle d'une voix plus aigre que de coutume; et faisant elle-même la demande et la réponse: Dîner, c'est impossible; les pêcheurs ne sont pas sortis par ce temps de malheur, il n'y a pas de poisson.

—Signora, lui répondis-je sans lever la tête, donnez-moi ce que vous voudrez: une soupe, un macaroni, peu importe! j'ai plus besoin de soleil que de dîner.

La digne Palomba me regarda avec un étonnement mêlé de pitié.

—Pardon, Excellence, me dit-elle; au livre rouge qui sortait de votre poche, je vous prenais pour un Anglais. Depuis que ce maudit livre, qui dit tout, a recommandé le poisson d'Amalfi, il n'y a pas un milord qui veuille dîner autrement que ce papier ne lui ordonne. Mais, puisque vous entendez la raison, nous ferons de notre mieux pour vous plaire. Ayez seulement un peu de patience.

[Illustration: L'énorme et majestueuse Palomba.]

Et aussitôt l'excellente femme, attrapant au passage deux des poulets qui criaient autour de moi, leur coupa le cou sans que j'eusse le temps de m'opposer à cet assassinat dont j'étais complice; puis s'asseyant près de moi, elle se mit à plumer les deux victimes avec le sang-froid d'un grand coeur.

—Signore, dit-elle au bout d'un instant, la cathédrale est ouverte; tous les étrangers vont l'admirer avant dîner.

Pour toute réponse, je soupirai.

—Excellence, ajouta la digne Palomba, que sans doute je gênais dans ses préparatifs culinaires, vous n'avez pas visité la route nouvelle qui conduit à Salerne? Il y a une vue magnifique sur la mer et les îles.

—Hélas! pensai-je, c'est ce matin, et en voiture, qu'il fallait prendre cette route; et je ne répondis pas.

—Excellence, dit d'une voix plus forte la patronne très décidée à se débarrasser de moi, le marché se tient aujourd'hui. Beau spectacle, beaux costumes! Et des marchands qui ont la langue si bien pendue! et des oranges! on en a douze pour un carlin!

Peine perdue: je ne me serais pas levé pour la reine de Naples en personne!

—Hé donc! s'écria l'hôtesse, à qui la patience échappait, vous voilà plus endormi que Perlino quand il buvait son or potable!

—Perlino de qui? Perlino de quoi? murmurai-je en ouvrant un oeil languissant.

—Quel Perlino? reprit Palomba. Y en a-t-il deux dans l'histoire? et, quand on ne trouverait pas ici un enfant de quatre ans qui ne connût ses aventures, est-ce un homme aussi instruit que Votre Excellence qui peut les ignorer?

—Faites comme si je ne savais rien, contez-moi l'histoire de Perlino, excellente Palomba, je vous écoute avec le plus vif intérêt.

La bonne femme commença avec la gravité d'une matrone romaine. L'histoire était belle; peut-être la chronologie laissait-elle un peu à désirer, mais dans ce récit touchant la sage Palomba faisait preuve d'une si parfaite connaissance des choses et des hommes, que peu à peu je levai la tête, et, fixant les yeux sur celle qui ne me regardait plus, j'écoutai avec attention ce qui suit.

II

VIOLETTE

Si l'on en croyait les anciens, Paestum n'aurait pas toujours été ce qu'il est aujourd'hui. Il n'y a maintenant, disent les pêcheurs, que trois vieilles ruines où l'on ne trouve que la fièvre, des buffles et des Anglais; autrefois c'était une grande ville, habitée par un peuple nombreux. Il y a bien longtemps de cela, comme qui dirait au siècle des patriarches, quand tout le pays était aux mains des païens grecs, que d'autres nomment Sarrasins.

En ce temps-là, il y avait à Paestum un marchand bon comme le pain, doux comme le miel, riche comme la mer. On l'appelait Cecco; il était veuf et n'avait qu'une fille qu'il aimait comme son oeil droit. Violette, c'était le nom de cette enfant chérie, était blanche comme du lait et rose comme la fraise. Elle avait de longs cheveux noirs, des yeux plus bleus que le ciel, une joue veloutée comme l'aile d'un papillon, et un grain de beauté juste au coin de la lèvre. Joignez à cela l'esprit d'un démon, la grâce d'une Madeline, la taille de

Vénus et des doigts de fée, vous comprendrez qu'à première vue jeunes et vieux ne pouvaient se défendre de l'aimer.

Quand Violette eut quinze ans, Cecco songea à la marier. C'était pour lui un grand souci. L'oranger, pensait-il, donne sa fleur sans savoir qui la cueillera, un père met au monde une fille, et pendant de longues années la soigne comme la prunelle de ses yeux pour qu'un beau jour un inconnu lui vole son trésor, sans même le remercier. Où trouver un époux digne de ma Violette? N'importe, elle est assez riche pour choisir qui lui plaira; belle et fine comme elle est, elle apprivoiserait un tigre, si elle s'en mêlait.

Souvent donc le bon Cecco essayait adroitement de parler mariage à sa fille; autant eût valu jeter ses discours à la mer. Dès qu'il touchait cette corde, Violette baissait la tête et se plaignait d'avoir la migraine; le pauvre père, plus troublé qu'un moine qui perd la mémoire au milieu de son sermon, changeait aussitôt de conversation et tirait de sa poche quelque cadeau qu'il avait toujours en réserve. C'était une bague, un chapelet, un dé d'or; Violette l'embrassait, et le sourire revenait comme le soleil après la pluie.

Un jour cependant que Cecco, plus avisé que de coutume, avait commencé par où il finissait d'ordinaire, et que Violette avait dans les mains un si beau collier qu'il lui était difficile de s'affliger, le bonhomme revint à la charge. «O amour et joie de mon coeur, lui disait-il en la caressant, bâton de ma vieillesse, couronne de mes cheveux blancs, ne verrai-je jamais l'heure où l'on m'appellera grand-père? Ne sens-tu pas que je deviens vieux? ma barbe grisonne et me dit chaque jour qu'il est temps de te choisir un protecteur. Pourquoi ne pas faire comme toutes les femmes? Vois-tu qu'elles en meurent? Qu'est-ce qu'un mari? C'est un oiseau en cage, qui chante tout ce qu'on veut. Si ta pauvre mère vivait encore, elle te dirait qu'elle n'a jamais pleuré pour faire sa volonté; elle a toujours été reine et impératrice au logis. Je n'osais souffler devant elle, pas plus que devant toi, et je ne puis me consoler de ma liberté.

—Père, dit Violette en lui prenant le menton, tu es le maître, c'est à toi de commander. Dispose de ma main, choisis toi-même. Je me marierai quand tu voudras, et à qui tu voudras. Je ne te demande qu'une seule chose.

—Quelle qu'elle soit, je te l'accorde, s'écria Cecco, charmé d'une sagesse à laquelle on ne l'avait pas habitué.

—Eh bien, mon bon père, tout ce que je désire, c'est que le mari que tu me donneras n'ait pas l'air d'un chien.

—Voilà une idée de petite fille! s'écria le marchand rayonnant de joie. On a raison de dire que beauté et folie vont souvent de compagnie. Si tu n'avais pas tout l'esprit de ta mère, dirais-tu de pareilles sottises? Crois-tu qu'un homme de sens comme moi, crois-tu que le plus riche marchand de Poestum sera assez niais pour accepter un gendre à face de chien? Sois tranquille, je te choisirai, ou plutôt tu te choisiras, le plus beau et le plus aimable des hommes. Te fallût-il un prince, je suis assez riche pour te l'acheter.

A quelques jours de là, il y eut un grand dîner chez Cecco; il avait invité la fleur de la jeunesse à vingt lieues à la ronde. Le repas était magnifique; on mangea beaucoup, on but davantage; chacun se mit à l'aise et parla dans l'abondance de son coeur. Quand on eut servi le dessert, Cecco se retira dans un coin de la salle, et prenant Violette sur ses genoux:

—Ma chère enfant, lui dit-il tout bas, regarde-moi ce joli jeune homme aux yeux bleus, qui a une raie au milieu de la tête. Crois-tu qu'une femme serait malheureuse avec un pareil chérubin?

—Vous n'y pensez pas, mon père, dit Violette en riant, il a l'air d'une levrette.

—C'est vrai, s'écria le bon Cecco, une vraie tête de levrette! Où avais-je les yeux pour ne pas voir cela? Mais ce beau capitaine qui a le front ras, le cou serré, les yeux à fleur de tête, la poitrine bombée, c'est un homme celui-là, qu'en dis-tu?

—Mon père, il ressemble à un dogue; j'aurais toujours peur qu'il me mordît.

—Il est de fait qu'il a un faux air de dogue, répondit Cecco en soupirant. N'en parlons plus. Peut-être aimeras-tu mieux un personnage plus grave et plus mûr. Si les femmes savaient choisir, elles ne prendraient jamais un mari qui eut moins de quarante ans. Jusque-là les femmes ne trouvent que des fats qui se laissent adorer, ce n'est vraiment qu'après quarante ans qu'un homme est mûr pour aimer et pour obéir. Que dis-tu de ce conseiller de justice qui parle si bien et qui s'écoute en parlant? Ses cheveux grisonnent, qu'importe? Avec des cheveux gris on n'est pas plus sage qu'avec des cheveux noirs.

—Père, tu ne tiens pas ta parole. Tu vois bien qu'avec ses yeux rouges et les boucles blanches qui lui frisent sur les oreilles, ce seigneur a la mine d'un caniche.

De tous les convives il en fut de même, pas un n'échappa à la langue de Violette. Celui-ci, qui soupirait en tremblant, ressemblait à un chien turc; celui-là, qui avait de longs cheveux noirs et des yeux caressants, avait la figure d'un épagneul; personne ne fut épargné. On dit, en effet, que parmi vous autres hommes il n'en est pas un qui n'ait l'air d'un chien quand on lui met la main sous le nez, en lui cachant la bouche et le menton; vous devez le savoir, vous autres signori, qui êtes tous des savants, car on dit que, si vous venez remuer les pierres de notre Italie, c'est pour demander à nos morts la sagesse qui, à mon avis, ne doit pas être une marchandise commune dans votre pays.

—Violette a trop d'esprit, pensa Cecco, je n'en viendrai jamais à bout par la raison. Sur quoi il entra dans une colère blanche; il l'appela ingrate, tête de bois, fille de sot, et finit en la menaçant de la mettre au couvent pour le reste de sa vie. Violette pleura; il se jeta à ses genoux, lui demanda pardon, et lui promit de ne plus jamais lui parler de rien. Le lendemain, il se leva sans avoir dormi, embrassa sa fille, la remercia de n'avoir pas les yeux rouges, et attendit que le vent qui tourne les girouettes soufflât du côté de sa maison.

Cette fois il n'avait pas tort. Avec les femmes il arrive plus de choses en une heure qu'en dix ans avec les hommes; ce n'est jamais pour elles qu'il est écrit: *On ne passe pas par ce chemin.*

III

NAISSANCE ET FIANÇAILLES DE PERLINO

Un jour qu'il y avait fête aux environs, Cecco demanda à sa fille ce qu'il pourrait lui apporter pour lui faire plaisir.

—Père, dit-elle, si tu m'aimes, achète-moi un demi-*cantaro* de sucre de Palerme et autant d'amandes douces; joins-y cinq ou six bouteilles d'eau de senteur, un peu de musc et d'ambre, une quarantaine de perles, deux saphirs, une poignée de grenats et de rubis; apporte-moi aussi vingt écheveaux de fil d'or, dix aunes de velours vert, une pièce de soie cerise, et surtout n'oublie pas une auge et une truelle d'argent.

Qui fut étonné de ce caprice? ce fut le marchand; mais il avait été trop bon mari pour ne pas savoir qu'avec les femmes il est plus court d'obéir que de raisonner; il rentra, le soir, à la maison avec une mule toute chargée. Que n'eût-il pas fait pour un sourire de son enfant?

Aussitôt que Violette eut reçu tous ces présents, elle monta dans sa chambre, et se mit à faire une pâte de sucre et d'amandes, en l'arrosant d'eau de rose et de jasmin. Puis, comme un potier ou un sculpteur, elle pétrit cette pâte avec sa truelle d'argent, et en moula le plus beau petit jeune homme qu'on ait jamais vu. Elle lui fit les cheveux avec des fils d'or, les yeux avec des saphirs, les dents avec des perles, la langue et les lèvres avec des rubis. Après quoi elle l'habilla de velours et de soie, et le baptisa Perlino, parce qu'il était blanc et rose comme la perle.

Quand elle eut fini son chef-d'oeuvre, qu'elle avait placé sur une table, Violette battit des mains et se mit à danser autour de Perlino; elle lui chantait les airs les plus tendres, elle lui disait les paroles les plus douces, elle lui envoyait des baisers à échauffer un marbre: peine perdue, la poupée ne bougeait pas. Violette en pleurait de dépit, quand elle se souvint à propos qu'elle avait une fée pour marraine. Quelle marraine, surtout quand elle est fée, rejette le premier voeu qu'on lui adresse? Et voici ma jeune fille qui pria tant et tant que sa marraine l'entendit de deux cents lieues et en eut pitié. Elle souffla; il n'en faut pas davantage aux fées pour faire un miracle.

Tout à coup Perlino ouvre un oeil, puis deux; il tourne la tête à droite, à gauche; puis, il éternue comme une personne naturelle; puis, tandis que Violette riait et pleurait de plaisir, voilà mon Perlino qui marche sur la table, gravement, à petits pas, comme une douairière qui revient de l'église ou un bailli qui monte au tribunal.

Plus joyeuse que si elle eût gagné le royaume de France à la loterie, Violette emporta Perlino dans ses bras, l'embrassa sur les deux joues, le plaça doucement à terre; puis, prenant sa robe à deux mains, elle se mit à danser autour de lui, en chantant:

> Danse, danse avec moi,
> Cher Perlino de mon âme;
> Danse, danse avec moi,
> Si tu veux m'avoir pour femme;
> Danse, danse avec moi,
> Je serai la Reine, et tu seras le Roi.

> Nous sommes tous deux à la fleur de l'âge.
> Plaisir de mes yeux, entrons en ménage.
> Courir et sauter,
> Danser et chanter,
> Voilà toute la vie!
> Si tu fais toujours tout ce que je veux,
> Mon petit mari, tu seras heureux
> A donner envie
> Aux dieux
> Des cieux.

> Danse, danse avec moi,
> Cher Perlino de mon âme;
> Danse, danse avec moi,
> Si tu veux m'avoir pour femme;
> Danse, danse avec moi,
> Je serai la Reine et tu seras le Roi.

Cecco, qui refaisait le compte de ses marchandises, parce qu'il lui semblait dur de ne gagner qu'un million de ducats dans l'année, entendit de son comptoir le bruit qu'on faisait au-dessus de sa tête: *Per Baccho!* s'écria-t-il, il se passe là-haut quelque chose d'étrange; il me semble qu'on se querelle.

Il monta, et, poussant la porte, vit le plus joli spectacle du monde. En face de sa fille, rouge de plaisir, était l'Amour en personne, l'Amour en pourpoint de velours et de soie. Les deux mains dans les mains de sa petite maîtresse, Perlino, sautant des deux pieds à la fois, dansait, dansait, comme s'il ne devait jamais s'arrêter.

Aussitôt que Violette aperçut l'auteur de ses jours, elle lui fit une humble révérence, et lui présentant son bien-aimé:

—Mon seigneur et père, lui dit-elle, tu m'as toujours dit que tu désirais me voir mariée. Pour t'obéir et te plaire, j'ai choisi un mari suivant mon coeur.

—Tu as bien fait, mon enfant, répondit Cecco, qui devina le mystère; toutes les femmes devraient prendre exemple sur toi. J'en connais plus d'une qui se couperait un doigt de la main, et non pas le plus petit, pour se fabriquer un mari à son goût, un petit mari tout confit de sucre et de fleur d'orange. Donne-leur ton secret, tu sécheras bien des larmes. Il y a deux mille ans qu'elles se plaignent, et dans deux mille ans elles se plaindront encore d'être incomprises et sacrifiées. Sur quoi il embrassa son gendre, le fiança sur l'heure, et demanda deux jours pour préparer la noce. Il n'en fallait pas moins pour inviter tous les amis à la ronde et dresser un dîner qui ne fût pas indigne du plus riche marchand de Paestum.

IV

L'ENLÈVEMENT DE PERLINO

Pour voir un mariage si nouveau, on vint de bien loin: de Salerne et de la Cava, d'Amalfi et de Sorrente, même d'Ischia et de Pouzzoles. Riches ou pauvres, jeunes ou vieux, amis ou jaloux, chacun voulait connaître Perlino. Par malheur, il ne s'est jamais fait de noce sans que le diable s'en mêle; la marraine de Violette n'avait pas prévu ce qui devait arriver.

Parmi les invités, on attendait une personne considérable: c'était une marquise des environs qui s'appelait la dame des Écus-Sonnants. Elle était aussi méchante et aussi vieille que Satan; elle avait la peau jaune et ridée, les yeux caves, les joues creuses, le nez crochu, le menton pointu; mais elle était si riche, si riche, que chacun l'adorait au passage et se disputait l'honneur de lui baiser la main. Cecco la salua jusqu'à terre et la fit asseoir à sa droite, heureux et fier de présenter sa fille et son gendre à une femme qui, ayant plus de cent millions, lui faisait la grâce de manger son dîner.

Tout le long du repas, la dame des Écus-Sonnants ne fit que regarder Perlino; la convoitise lui brûlait le coeur. La marquise habitait un château digne des fées; les pierres en étaient d'or, et les pavés d'argent. Dans ce château, il y avait une galerie où l'on avait rassemblé toutes les curiosités de la terre: une pendule qui sonnait toujours l'heure qu'on désirait, un élixir qui guérissait la goutte et la migraine, un philtre qui changeait le chagrin en joie, une flèche de l'amour, l'ombre de Scipion, le coeur d'une coquette, la religion d'un médecin, une sirène empaillée, trois cornes de licorne, la conscience d'un courtisan, la politesse d'un enrichi, l'hippogriffe d'*Orlando*, toutes choses qu'on n'a jamais vues et qu'on ne verra jamais autre part; mais à ce trésor il manquait un rubis: c'était ce chérubin de Perlino.

On n'était pas au dessert que la dame avait résolu de s'emparer de lui. Elle était fort avare; mais ce qu'elle désirait, il le lui fallait sur l'heure, et à tout prix. Elle achetait tout ce qui se vend, et même ce qui ne se vend pas; le reste, elle le volait, bien certaine qu'à Naples la justice n'est faite que pour les petites gens. De médecin ignorant, de mule rechignée et de femme méchante, *libera nos, Domine*, dit le proverbe. Dès qu'on se fut levé de table, la dame s'approcha de Perlino, qui, né depuis trois jours, n'avait pas encore ouvert les yeux sur la malice du monde; elle lui conta tout ce qu'il y avait de beau et de riche dans le château des Écus-Sonnants: «Viens avec moi, cher petit ami, lui disait-elle, je te donnerai dans mon palais la place que tu voudras: choisis; te plaît-il d'être page avec des habits d'or et de soie, chambellan avec une clef en diamants au milieu du dos, suisse avec une hallebarde d'argent et un large baudrier d'or qui te fera une poitrine plus brillante que le soleil? Dis un mot, tout est à toi.»

Le pauvre innocent était tout ébloui; mais, si peu qu'il eût respiré l'air natal, il était déjà Napolitain, c'est-à-dire le contraire d'une bête.

—Madame, répondit-il naïvement, on dit que travailler, c'est le métier des boeufs; il n'est rien de plus sain que de se reposer. Je voudrais un état où il n'y eût rien à faire et beaucoup à gagner, comme font les chanoines de Saint-Janvier.

—Quoi! dit la dame des Écus-Sonnants, à ton âge veux-tu déjà être sénateur?

—Justement, Madame, interrompit Perlino, et plutôt deux fois qu'une, pour avoir double traitement.

—Qu'à cela ne tienne, reprit la marquise; en attendant, viens que je te montre ma voiture, mon cocher anglais et mes six chevaux gris. Et elle l'entraîna vers le perron.

—Et Violette? dit faiblement Perlino.

—Violette nous suit, répondit la dame en tirant l'imprudent, qui se laissait faire. Une fois dans la cour, elle lui fit admirer ses chevaux qui, en piaffant, secouaient de beaux filets de soie rouge parsemés de clochettes d'or; puis, elle le fit monter dans la voiture pour essayer les coussins et se mirer dans les glaces. Tout d'un coup elle ferme la portière; fouette, cocher! les voilà partis pour le château des Écus-Sonnants.

Violette cependant recevait avec une grâce parfaite les compliments de l'assemblée; bientôt, étonnée de ne plus voir son fiancé, qui ne la quittait guère plus que son ombre, elle court dans toutes les salles: personne; elle monte sur le toit de la maison pour voir si Perlino n'y avait pas été chercher le frais: personne. Dans le lointain on apercevait un nuage de poussière, et un carrosse qui s'enfuyait vers les montagnes au galop de six chevaux. Plus de doute: on enlevait Perlino. A cette vue, Violette sentit son coeur faiblir.

Aussitôt, sans penser qu'elle était nu-tête, en coiffure de mariée, en robe de dentelle, en souliers de satin, elle sortit de la maison de son père et se mit à courir après la voiture, appelant à grands cris Perlino et lui tendant les bras.

Vaines paroles qu'emportait le vent. L'ingrat était tout entier aux paroles mielleuses de sa nouvelle maîtresse; il jouait avec les bagues qu'elle portait aux doigts, et croyait déjà que le lendemain il se réveillerait prince et seigneur. Hélas! il y en a de plus vieux que lui qui ne sont pas plus sages! Quand sait-on qu'au logis bonté et beauté valent mieux que richesse? C'est quand il est trop tard, et qu'on n'a plus de dents pour ronger les fers qu'on s'est mis aux mains.

V

LA NUIT ET LE JOUR

La pauvre Violette courut tout le jour: fossés, ruisseaux, halliers, ronces, épines, rien ne l'arrêtait; qui souffre pour l'amour ne sent pas la peine. Quand vint le soir, elle se trouva dans un bois sombre, accablée de fatigue, mourant de faim, les pieds et les mains en sang. La frayeur la prit: elle regardait autour d'elle sans remuer; il lui semblait que du milieu de la nuit sortaient des milliers d'yeux qui la suivaient en la menaçant. Tremblante, elle se jeta au pied d'un arbre, appelant à voix basse Perlino pour lui dire un dernier adieu.

Comme elle retenait son haleine, ayant si grand'-peur qu'elle n'osait respirer, elle entendit les arbres du voisinage qui parlaient entre eux. C'est le privilège de l'innocence, qu'elle comprend toutes les créatures de Dieu.

—Voisin, disait un caroubier à un olivier qui n'avait plus que l'écorce, voilà une jeune fille qui est bien imprudente de se coucher à terre. Dans une heure, les loups sortiront de leur tanière; s'ils l'épargnent, la rosée et le froid du matin lui donneront une telle fièvre qu'elle ne se relèvera pas. Que ne monte-t-elle dans mes branches; elle y pourrait dormir en paix, et je lui offrirais volontiers quelques-unes de mes gousses pour ranimer ses forces épuisées.

—Vous avez raison, voisin, répondait l'olivier. L'enfant ferait mieux encore si, avant de se coucher, elle enfonçait son bras dans mon écorce. On y a caché les habits et le zampogne[1] d'un *pifferaro*. Quand on brave la fraîcheur des nuits, une peau de bique n'est pas à dédaigner; et, pour une fille qui court le monde, c'est un costume léger qu'une robe de dentelle et des souliers de satin.

[Note 1: Espèce de cornemuse.]

Qui fut rassuré? Ce fut Violette. Quand elle eut cherché à tâtons la veste de bure, le manteau de peau de chèvre, la zampogne et le chapeau pointu du pifferaro, elle monta bravement sur le caroubier, mangea des fruits sucrés, but la rosée du soir, et, après s'être bien enveloppée, elle s'arrangea entre deux branches du mieux qu'elle put. L'arbre l'entoura de ses bras paternels, des ramiers sortant de leurs nids la couvrirent de feuilles, le vent la berçait comme un enfant, et elle s'endormit en songeant à son bien-aimé.

En s'éveillant le lendemain, elle eut peur. Le temps était calme et beau; mais dans le silence des bois la pauvre enfant sentait mieux sa solitude. Tout vivait, tout s'aimait autour d'elle; qui songeait à la pauvre délaissée? Aussi se mit-elle à chanter pour appeler à son secours tout ce qui passait auprès d'elle sans la regarder.

O vent, qui souffles de l'aurore,
N'as-tu pas vu mon bien-aimé,
Parmi les fleurs qu'a fait éclore
La nuit au silence embaumé?
A-t-il pleuré de mon absence?
A-t-il prié pour mon retour?
Rends-moi la joie et l'espérance,
Dis-moi sa peine et son amour.

Gai papillon, légère abeille,
Poursuivez l'ingrat qui me fuit!
La grenade la plus merveille,
Le jasmin le plus frais, c'est lui!
Il est plus pur que la verveine,
Son front est blanc comme le lis;
La violette a son haleine;
Ses yeux sont bleus comme l'iris.

Cherche-le-moi, bonne hirondelle,
Cherchez-le-moi, petits oiseaux,
Parmi le thym et l'asphodèle,
Au fond des bois, au bord des eaux.
Loin de lui je souffre et je pleure,
Je tremble de crainte et d'émoi;
Si vous ne voulez que je meure,
O chers amis, rendez-le-moi!

Le vent passa en murmurant, l'abeille partit pour chercher son butin, l'hirondelle poursuivit les mouches jusqu'au haut des cieux, les oiseaux criant et chantant s'agacèrent dans la feuillée, personne ne s'inquiéta de Violette. Elle descendit de l'arbre en soupirant, et marcha tout droit devant elle, se fiant à son coeur pour retrouver Perlino.

VI

LES TROIS RENCONTRES

Il y avait un torrent qui tombait de la montagne, son lit était à demi séché; ce fut le chemin que prit Violette. Déjà les lauriers-roses sortaient du fond de l'eau leurs têtes couvertes de fleurs; la fille de Cecco s'enfonça dans cette verdure, suivie par les papillons qui voltigeaient autour d'elle comme autour d'un lis qu'agite le vent. Elle marchait plus vite qu'un banni qui rentre au logis; mais la chaleur était lourde: vers midi, il lui fallut s'arrêter.

En approchant d'une flaque d'eau pour y rafraîchir ses pieds brûlants, elle aperçut une abeille qui se noyait. Violette allongea son petit pied; la bestiole y monta. Une fois à sec, l'abeille resta quelque temps immobile comme pour reprendre haleine, puis elle secoua ses ailes mouillées; puis, passant sur tout son corps ses pattes plus fines qu'un fil de soie, elle se sécha, se lissa, et, prenant son vol, vint bourdonner autour de celle qui lui avait sauvé la vie.

—Violette, lui dit-elle, tu n'as pas obligé une ingrate. Je sais où tu vas, laisse-moi t'accompagner.

Quand je serai fatiguée, je me poserai sur ta tête. Si jamais tu as besoin de moi, dis seulement: *Nabuchodonosor, la paix du coeur vaut mieux que l'or*; peut-être pourrai-je te servir.

—Jamais, pensa Violette, je ne pourrai dire: *Nabuchodonosor...*

—Que veux-tu? demanda l'abeille.

—Rien, rien, reprit la fille de Cecco, je n'ai besoin de toi qu'auprès de Perlino.

Elle se remit en route, le coeur plus léger; au bout d'un quart d'heure, elle entendit un petit cri: c'était une souris blanche qu'un hérisson avait blessée et qui ne s'était sauvée de son ennemi que tout en sang et à demi morte. Violette eut pitié de la pauvre bête. Si pressée qu'elle fût, elle s'arrêta pour lui laver ses blessures et lui donner une des caroubes qu'elle avait gardées pour son déjeuner.

—Violette, lui dit la souris, tu n'as pas obligé une ingrate. Je sais où tu vas. Mets-moi dans ta poche avec le reste de tes caroubes. Si jamais tu as besoin de moi, dis seulement: *Tricchè varlacchè, habits dorés, coeurs de laquais*; peut-être pourrai-je te servir.

Violette glissa la souris dans sa poche pour qu'elle y pût grignoter tout à l'aise, et continua de remonter le torrent. Vers la brume, elle approchait de la montagne, quand, tout à coup, du haut d'un grand chêne, tomba à ses pieds un écureuil, poursuivi par un horrible chat-huant. La fille de Cecco n'était pas peureuse, elle frappa le hibou avec sa zampogne, et le mit en fuite; puis, elle ramassa l'écureuil, plus étourdi que blessé de sa chute; à force de soins, elle le ranima.

—Violette, lui dit l'écureuil, tu n'as pas obligé un ingrat: je sais où tu vas. Mets-moi sur ton épaule, et cueille-moi des noisettes pour que je ne laisse pas mes dents s'allonger. Si jamais tu as besoin de moi, dis seulement: *Patati, patata, regarde bien et tu verras*; peut-être pourrai-je te servir.

Violette fut un peu étonnée de ces trois rencontres; elle ne comptait guère sur cette reconnaissance en paroles; que pouvaient faire pour elle de si faibles amis? Qu'importe! pensa-t-elle, le bien est toujours le bien. Advienne que pourra: j'ai eu pitié des malheureux.

A ce moment la lune sortit d'un nuage, et sa blanche lumière éclaira le vieux château des Écus-Sonnants.

VII

LE CHATEAU DES ÉCUS-SONNANTS

La vue du château n'était pas faite pour rassurer. Sur le haut d'une montagne, qui n'était qu'un amas de roches éboulées, on apercevait des créneaux d'or, des tourelles d'argent, des toits de saphir et de rubis, mais entourés de grands fossés pleins d'une eau verdâtre, mais défendus par des ponts-levis, des herses, des parapets, d'énormes barreaux et des meurtrières d'où sortait la gueule des canons, tout l'attirail de la guerre et du meurtre. Le beau palais n'était qu'une prison. Violette grimpa péniblement par des sentiers tortueux, et arriva enfin par un passage étroit devant une grille de fer armée d'une énorme serrure. Elle appela: point de réponse; elle tira une cloche: aussitôt parut une espèce de geôlier, plus noir et plus laid que le chien des enfers.

—Va-t-en, mendiant, cria-t-il, ou je t'assomme!

La pauvreté ne gîte point ici. Au château des Écus-Sonnants on ne fait l'aumône qu'à ceux qui n'ont besoin de rien.

La pauvre Violette s'éloigna tout en pleurs.

—Du courage! lui dit l'écureuil, tout en cassant une noisette; joue de la zampogne.

—Je n'en ai jamais joué, répondit la fille de Cecco.

—Raison de plus, dit l'écureuil; tant qu'on n'a pas essayé d'une chose, on ne sait pas ce qu'on peut faire. Souffle toujours Violette se mit à souffler de toutes ses forces, en remuant les doigts et en chantant dans l'instrument. Voici la zampogne qui se gonfle et qui joue une tarentelle à faire danser les morts. A ce bruit, l'écureuil saute à terre, la souris ne reste pas en arrière; les voilà qui dansent et sautent comme de vrais Napolitains, tandis que l'abeille tourne autour d'eux en bourdonnant. C'était un spectacle à payer sa place un carlin, et sans regret.

Au bruit de cette agréable musique, on vit bientôt s'ouvrir les noirs volets du château. La dame des Écus-Sonnants avait auprès d'elle des filles d'honneur, qui n'étaient pas fâchées de regarder de temps en temps si les mouches volaient toujours de la même façon. On a beau n'être pas curieuse, ce n'est pas tous les jours qu'on entend une tarentelle jouée par un pâtre aussi joli que Violette.

—Petit, disait l'une, viens par ici!

—Berger, criait l'autre, viens de mon côté!

Et toutes de lui envoyer des sourires, mais la porte restait fermée.

—Damoiselles, dit Violette en ôtant son chapeau, soyez aussi bonnes que vous êtes belles. La nuit m'a surpris dans la montagne; je n'ai ni gîte ni souper.

Un coin dans l'écurie et un morceau de pain; mes petits danseurs vous amuseront toute la soirée.

Au château des Écus-Sonnants, la consigne est sévère. On y craint tellement les voleurs que, passé la brume, on n'ouvre à personne. Ces demoiselles le savaient bien; mais, dans cette honnête maison, il y a toujours de la corde de pendu. On en jeta un bout par la fenêtre. En un instant, Violette fut hissée dans une grande chambre avec toute sa ménagerie. Là, il lui fallut souffler pendant de longues heures, et danser, et chanter, sans qu'on lui permit d'ouvrir la bouche pour demander où était Perlino.

N'importe! elle était heureuse de se sentir sous le même toit; il lui semblait qu'à ce moment le coeur de son bien-aimé devait battre comme battait le sien. C'était une innocente: elle croyait qu'il suffit d'aimer pour qu'on vous aime. Dieu sait quels beaux rêves elle fit cette nuit-là!

VIII

NABUCHODONOSOR

Le lendemain, de grand matin, Violette, qu'on avait couchée au grenier, monta sur les toits et regarda autour d'elle; mais elle eut beau courir de tous côtés, elle ne vit que des tours grillées et des jardins déserts. Elle descendit tout en larmes, quoi que fissent ses trois petits amis pour la consoler.

Dans la cour, toute pavée d'argent, elle trouva les filles d'honneur, assises en rond et filant des étoupes d'or et de soie.

—Va-t-en, lui crièrent-elles; si madame voyait tes haillons, elle nous chasserait. Sors d'ici, vilain joueur de zampogne, et ne reviens jamais, à moins que tu ne sois prince ou banquier.

—Sortir! dit Violette; pas encore, belles demoiselles: laissez-moi vous servir; je serai si doux, si obéissant, que vous ne regretterez jamais de m'avoir gardé près de vous.

Pour toute réponse, la première demoiselle se leva: c'était une grande fille, maigre, sèche, jaune, pointue: d'un geste elle montra la porte au petit pâtre, et appela le geôlier, qui s'avança en fronçant le sourcil et en brandissant sa hallebarde.

—Je suis perdue, s'écria la pauvre fille; je ne reverrai jamais mon Perlino!

—Violette, dit gravement l'écureuil, on éprouve l'or dans la fournaise et les amis dans l'infortune.

—Tu as raison, s'écria la fille de Cecco: *Nabuchodonosor, la paix du coeur vaut mieux que l'or.*

Aussitôt l'abeille s'envole, et voilà qu'au milieu de la cour il entre, je ne sais par où, un beau carrosse de cristal, avec un timon en rubis et des roues d'émeraude. L'équipage était tiré par quatre chiens noirs, gros comme le poing, qui marchaient sur leurs oreilles. Quatre grands scarabées montés en jockeys conduisaient d'une main légère cet attelage mignon. Au fond du carrosse, mollement couchée sur des carreaux de satin bleu, s'étendait une jeune bécasse coiffée d'un petit chapeau rose et vêtue d'une robe de taffetas si ample, qu'elle débordait sur les deux roues. D'une patte la dame tenait un éventail, de l'autre un flacon ainsi qu'un mouchoir brodé à ses armes et garni d'une large dentelle. Auprès d'elle, à demi enseveli sous les flots de taffetas, était un hibou, l'air ennuyé, l'oeil mort, la tête pelée, si vieux que son bec croisait comme des ciseaux ouverts. C'étaient de jeunes mariés qui faisaient leurs visites de noces, un ménage à la mode, tel que les aime la dame des Écus-Sonnants.

A la vue de ce chef-d'oeuvre, un cri de joie et d'admiration éveilla tous les échos du palais. D'étonnement, le geôlier en laissa choir sa pipe, tandis que les demoiselles couraient après le carrosse qui fuyait au galop de ses quatre épagneuls, comme s'il emportait l'empereur des Turcs ou le diable en personne. Ce bruit étrange inquiéta la dame des Écus-Sonnants, qui craignait toujours d'être pillée; elle accourut, furieuse, et résolue de mettre toutes ses filles d'honneur à la porte. Elle payait pour être respectée, et voulait en avoir pour son argent.

Mais, quand elle aperçut l'équipage, quand le hibou l'eut saluée d'un signe de bec et que la bécasse eut trois fois remué son mouchoir avec une adorable nonchalance, la colère de la dame s'évanouit en fumée.

—Il me faut cela! cria-t-elle. Combien le vend-on?

La voix de la marquise effraya Violette, mais l'amour de Perlino lui donnait du coeur; elle répondit que, si pauvre qu'elle fût, elle aimait mieux son caprice que tout l'or du monde; elle tenait à son carrosse, et ne le vendrait pas pour le château des Écus-Sonnants.

—Sotte vanité des gueux! murmura la dame. Il n'y a vraiment que les riches qui aient le saint respect de l'or et qui soient prêts à tout faire pour un écu. Il me faut cette voiture! dit-elle d'un ton menaçant; coûte que coûte, je l'aurai.

—Madame, reprit Violette fort émue, il est vrai que je ne veux pas la vendre, mais je serais heureuse de l'offrir en don à Votre Seigneurie, si elle voulait m'honorer d'une faveur.

—Ce sera cher, pensa la marquise. Parle, dit-elle à Violette, que demandes-tu?

—Madame, dit la fille de Cecco, on assure que vous avez un musée où toutes les curiosités de la terre sont réunies; montrez-le-moi; s'il y a quelque chose de plus merveilleux que ce carrosse, mon trésor est à vous.

Pour toute réponse, la dame des Écus-Sonnants haussa les épaules et mena Violette dans une grande galerie qui n'a jamais eu sa pareille. Elle lui fit regarder toutes ses richesses: une étoile tombée du ciel, un collier fait avec un rayon de la lune, natté et tressé de trois rangs, des lis noirs, des roses vertes, un amour éternel, du feu qui ne brûlait pas, et d'autres raretés; mais elle ne montra pas la seule chose qui touchât Violette: Perlino n'était pas là.

La marquise cherchait dans les yeux du petit pâtre l'admiration et l'étonnement; elle fut surprise de n'y voir que de l'indifférence.

—Eh bien! dit-elle, toutes ces merveilles sont autre chose que tes quatre toutous: le carrosse est à moi.

—Non, Madame, dit Violette. Tout cela est mort, et mon équipage est vivant. Vous ne pouvez pas comparer des pierres et des cailloux à mon hibou et à ma bécasse, personnages si vrais, si naturels, qu'il semble qu'on vient de les quitter dans la rue. L'art n'est rien auprès de la vie.

—N'est-ce que cela? dit la marquise; je te montrerai un petit homme fait de sucre et de pâte d'amande, qui chante comme un rossignol et raisonne comme un académicien.

—Perlino! s'écria Violette.

—Ah! dit la dame des Écus-Sonnants, mes filles d'honneur ont parlé. Elle regarda le joueur de zampogne avec l'instinct de la peur.—Toute réflexion faite, ajouta-t-elle, sors d'ici; je ne veux plus de tes jouets d'enfants.

—Madame, dit Violette toute tremblante, laissez-moi causer avec ce miracle de Perlino, et prenez le carrosse.

—Non, dit la marquise, va-t-en et emporte les bêtes avec toi.

—Laissez-moi seulement voir Perlino.

—Non! non! répondit la dame.

—Seulement coucher une nuit à sa porte, répondit Violette tout en larmes. Voyez quel bijou vous refusez, ajouta-t-elle en mettant un genou en terre et en présentant la voiture à la dame des Écus-Sonnants.

—A cette vue, la marquise hésita, puis elle sourit; en un instant elle avait trouvé le moyen de tromper Violette et d'avoir pour rien ce qu'elle convoitait.

—Marché conclu, dit-elle en saisissant le carrosse; tu coucheras ce soir à la porte de Perlino, et même tu le verras; mais je te défends de lui parler.

Le soir venu, la dame des Écus-Sonnants appela Perlino pour souper avec elle. Quand elle l'eut fait bien manger et bien boire, ce qui était aisé avec un garçon d'humeur facile, elle versa d'excellent vin blanc de Capri dans une coupe de vermeil, et, tirant de sa poche une botte de cristal, elle y prit une poudre rougeâtre qu'elle jeta dans le vin.—Bois cela, mon enfant, dit-elle à Perlino, et donne-moi ton goût.

Perlino, qui faisait tout ce qu'on lui disait, avala la liqueur d'un seul trait.

—Pouah! s'écria-t-il, ce breuvage est abominable, c'est une odeur de boue et de sang; c'est du poison!

—Niais! dit la marquise, c'est de l'or potable; qui en a bu une fois en boira toujours. Prends ce second verre, tu le trouveras meilleur que le premier.

La dame avait raison: à peine l'enfant eut-il vidé la coupe, qu'il fut pris d'une soif ardente.—Encore! disait-il, encore! Il ne voulait plus quitter la table. Pour le décider à se coucher, il fallut que la marquise lui fit un grand cornet de cette poudre merveilleuse qu'il mit soigneusement dans sa poche, comme un remède à tous les maux.

Pauvre Perlino! c'était bien un poison qu'il avait pris, et le plus terrible de tous. Qui boit de l'or potable, son coeur se glace tant que le fatal breuvage est dans l'estomac. On ne connaît plus rien, on n'aime plus rien, ni père, ni mère, ni femme, ni enfants, ni amis, ni pays; on ne songe plus qu'à soi; on veut boire, et on boirait tout l'or et tout le sang de la terre sans calmer une soif que rien ne peut étancher.

Cependant que faisait Violette? Le temps lui semblait aussi long qu'au pauvre un jour sans pain. Aussi, dès que la nuit eut mis son masque noir pour ouvrir le bal des étoiles, Violette courut-elle à la porte de Perlino, bien sûre qu'en la voyant Perlino se jetterait dans ses bras. Comme son coeur battait quand elle l'entendit monter! Quel chagrin quand l'ingrat passa devant elle sans même la regarder!

La porte fermée à double tour et la clef retirée, Violette se jeta sur une natte qu'on lui avait donnée par pitié; la elle se mit à fondre en larmes, se fermant la bouche avec les mains pour étouffer ses sanglots. Elle n'osait se plaindre, de crainte qu'on ne la chassât; mais, quand vint l'heure où les étoiles seules ont les yeux ouverts, elle gratta doucement à la porte et chanta à demi-voix:

Perlino, m'entends-tu? C'est moi qui te délivre,
   Ouvre-moi!
 Viens vite, je t'attends, ami, je ne puis vivre
   Loin de toi.
 Ouvre-moi! mon coeur te désire;
Je brûle, j'ai froid, je soupire;
   Tout le jour
   C'est d'amour,
   Et la nuit
   C'est d'ennui.

Hélas! elle eut beau chanter, rien ne bougea dans la chambre. Perlino ronflait comme un mari de dix ans, et ne rêvait qu'à sa poudre d'or. Les heures se traînèrent lentement, sans apporter d'espérance. Si longue et si douloureuse que fût la nuit, le matin fut plus triste encore. La dame des Écus-Sonnants arriva dès le point du jour.

—Te voilà content, beau joueur de zampogne, lui dit-elle avec un malin sourire, le carrosse est payé au prix que tu m'as demandé.

—Puisses-tu avoir un pareil contentement tous les jours de ta vie! murmura la pauvre Violette, j'ai passa une si mauvaise nuit que je ne l'oublierai de si tôt.

IX

TRICCHÈ VARLACCHÈ

La fille de Cecco se retira tristement; plus d'espoir, il fallait retourner chez son père, et oublier celui qui ne l'aimait plus. Elle traversa la cour, suivie par les demoiselles d'honneur qui la raillaient de sa simplicité. Arrivée près de la grille, elle se retourna comme si elle attendait un dernier regard; en se voyant seule, le courage l'abandonna, elle fondit en larmes et cacha sa tête dans ses mains.

—Sors donc, misérable gueux! lui cria le geôlier en saisissant Violette au collet et en la secouant d'importance.

—Sortir! dit Violette, jamais! *Tricchè varlacchè!* cria-t-elle: *habits dorés, coeurs de laquais!*

Et voilà la souris qui se jette au nez du geôlier et le mord jusqu'au sang; puis, devant la grille même, s'élève une volière grande comme un pavillon chinois. Les barreaux en sont d'argent, les mangeoires de diamant; au lieu de millet, il y a des perles; au lieu de colifichet, des ducats enfilés dans des rubans de toutes les couleurs. Au milieu de cette cage magnifique, sur un bâton en échelle qui tourne à tous les vents, sautent et gazouillent des milliers d'oiseaux de toute taille et de tout pays: colibris, perroquets cardinaux, merles, linottes, serins, et le reste; tout ce monde emplumé sifflait le même air, chacun dans son jargon. Violette, qui entendait le langage des oiseaux comme celui des plantes, écouta ce que disaient toutes ces voix, et traduisit la chanson aux filles d'honneur, bien étonnées de trouver une si rare prudence chez les perroquets et les serins. Voici ce que chantait le choeur des oiseaux:

> Fi de la liberté!
> Vive la cage!
> Quand on est sage,
> On est ici bien nourri, bien traité,
> Bien renté,
> Au chaud en hiver, au frais en été:
> On paye en ramage
> L'hospitalité.
> Vive la cage!
> Fi de la liberté!

Après ces cris joyeux, il se fit un grand silence; un vieux perroquet rouge et vert, à l'air grave et sérieux, leva la patte, et, tout en tournant, chanta d'un ton nasillard, ou plutôt croassa ce qui suit:

> Le rossignol est un monsieur vêtu de noir,
> Fort déplaisant à voir,
> Qui ne sort que le soir.
> Pour chanter à la lune;
> C'est un orgueilleux
> Qui vit comme un gueux
> Et se dit heureux;
> Sa voix nous importune.
> On devrait, entre nous,
> Clouer à quatre clous,
> Comme des hibous,
> Ces fous
> Qui n'adorent pas la fortune.

Et tous les oiseaux, ravis de cette éloquence, se mirent à siffler d'une voix perçante:

Fi de la liberté!
Vive la cage! etc., etc.

Pendant qu'on entourait la volière magique, la dame des Écus-Sonnants était accourue. Comme on le pense bien, elle ne fut pas la dernière à convoiter cette merveille.

—Petit, dit-elle au joueur de zampogne, me vends-tu cette cage au même prix que le carrosse?

—Volontiers, Madame, répondit Violette, qui n'avait pas d'autre désir.

—Marché conclu! dit la dame; il n'y a que les gueux pour se permettre de pareilles folies.

Le soir, tout se passa comme la veille. Perlino, ivre d'or potable, entra dans sa chambre sans même lever les yeux; Violette se jeta sur sa natte, plus misérable que jamais.

Elle chanta comme le premier jour; elle pleura à fendre les pierres: peine inutile. Perlino dormait comme un roi détrôné; les sanglots de sa maîtresse le berçaient comme eût fait le bruit de la mer et du vent. Vers minuit, les trois amis de Violette, affligés de son chagrin, tinrent conseil: «Il n'est pas naturel que cet enfant dorme de la sorte, disait mon compère l'écureuil.—Il faut entrer et l'éveiller, disait la souris.—Comment entrer? demandait l'abeille, qui avait inutilement cherché une fente tout le long du mur.—C'est mon affaire», dit la souris. Et vite, et vite elle ronge un petit coin de la porte; ce fut assez pour que l'abeille se glissât dans la chambre de Perlino.

Il était là tranquillement endormi sur le dos, ronflant avec la régularité d'un chanoine qui fait la sieste. Ce calme irrita l'abeille, elle piqua Perlino sur la lèvre; Perlino soupira et se donna un soufflet sur la joue, mais il ne s'éveilla point.

—On a endormi l'enfant, dit l'abeille revenue auprès de Violette pour la consoler. Il y a de la magie. Que faire?

—Attendez, dit la souris, qui n'avait pas laissé rouiller ses dents, je vais entrer à mon tour; je l'éveillerai, dussé-je lui manger le coeur.

—Non, non, dit Violette; je ne veux pas qu'on fasse du mal à mon Perlino.

La souris était déjà dans la chambre. Sauter sur le lit, s'insinuer sous la couverture, ce fut un jeu pour la cousine des rats. Elle alla droit à la poitrine de Perlino; mais, avant d'y faire un trou, elle écouta: coeur ne battait pas: plus de doute! Perlino était enchanté.

Comme elle rapportait cette nouvelle, l'aurore éclairait déjà le ciel; la méchante dame arriva, toujours souriante. Violette, furieuse d'avoir été jouée, et qui de colère se mangeait les mains, n'en fit pas moins une belle révérence à la marquise, en disant tout bas: A demain.

X

PATATI PATATA

Cette fois, Violette descendit avec plus de courage. L'espoir lui revenait. Comme la veille, elle trouva les filles d'honneur dans la cour, toujours filant leurs étoupes.

—Allons, beau joueur de zampogne, lui crièrent-elles en riant, fais-nous encore un tour de ton métier!

—Pour vous plaire, belles demoiselles, répondit Violette: *Patati, patata*, dit-elle, *regarde bien et tu verras*.

A l'instant, compère l'écureuil jette à terre une de ses noisettes; aussitôt on voit paraître un théâtre de marionnettes. Le rideau se tire: la scène représente une chambre de justice: l'audience de Rominagrobis. Au fond, sur un trône tendu de velours rouge, et tout étoilé de griffes d'or, est le bailli, un gros chat à face respectable, quoiqu'il y ait un reste de fromage sur ses longues moustaches. Toujours recueilli en lui-même, les mains croisées dans ses longues manches, les yeux fermés, on dirait qu'il dort, si jamais la justice dormait dans le royaume des chats.

De côté est un banc de bois où sont enchaînées trois souris, auxquelles par précaution on a rogné les dents et coupé les oreilles. Elles sont soupçonnées, ce qui, à Naples, veut dire convaincues d'avoir regardé de trop près une couenne de vieux lard. En face des coupables est un dais de drap noir, au front duquel on a inscrit, en lettres d'or, cette sentence du grand poète et magicien Virgile:

Écrase les souris, mais ménage les chats

Sous le dais se tient debout le fiscal; c'est une belette au front fuyant, aux yeux rouges, à la langue pointue; elle a la main sur son coeur et fait une belle harangue pour demander à la loi d'étrangler les souris. Sa parole coule comme l'eau d'une fontaine; c'est d'une voix si tendre, si pénétrante que la bonne dame implore et sollicite la mort de ces affreuses petites bêtes, qu'en vérité on s'indigne de leur endurcissement. Il semble qu'elles manquent à tous leurs devoirs en n'offrant pas elles-mêmes leurs têtes criminelles pour calmer l'émotion et sécher les pleurs de cette excellente belette, qui a tant de larmes dans le gosier.

Quand le fiscal eut fini son oraison funèbre, un jeune rat, à peine sevré, se leva pour défendre les coupables. Déjà il avait assuré ses lunettes, ôté son bonnet et secoué ses manches, quand, par respect pour la libre défense et dans l'intérêt des accusés, le chat lui interdit la parole. Alors et d'une voix solennelle, maître Rominagrobis gourmanda les accusés, les témoins, la société, le ciel, la terre et les rats; puis, se couvrant, il fulmina un arrêt vengeur et condamna ces bêtes criminelles à être pendues et écorchées séance tenante, avec confiscation des biens, abolition de la mémoire et condamnation en tous les frais, la contrainte par corps limitée toutefois à cinq années; car il faut être humain, même avec les scélérats.

La farce jouée, la toile se ferma.

—Comme cela est vivant! s'écria la dame des Écus-Sonnants. C'est la justice des chats prise sur le fait. Pâtre ou sorcier, qui que tu sois, vends-moi ta Chambre étoilée.

—Toujours au même prix, Madame, répondit Violette.

—A ce soir donc! reprit la marquise.

—A ce soir! dit Violette.

Et elle ajouta tout bas:

—Puisses-tu me payer tout le mal que tu m'as fait!

Pendant qu'on donnait la comédie dans la cour, l'écureuil n'avait pas perdu son temps. A force de trotter sur les toits, il avait fini par découvrir Perlino, qui mangeait des figues dans le jardin. Du toit, maître écureuil avait sauté sur un arbre, de l'arbre sur un buisson. Toujours dégringolant, il arriva jusqu'à Perlino qui jouait à la *morra*[1] avec son ombre, moyen sûr de toujours gagner.

[Note 1: Dans le jeu de la *morra* chacun des joueurs ouvre un ou plusieurs doigts; c'est ce nombre de doigts ouverts que l'adversaire doit deviner.]

L'écureuil fit une cabriole et s'assit devant Perlino avec la gravité d'un notaire.

—Ami, lui dit-il, la solitude a ses charmes, mais tu n'as pas l'air de beaucoup t'amuser en jouant tout seul; si nous faisions ensemble une partie.

—Peuh! dit Perlino en bâillant, tu as les doigts trop courts, et tu n'es qu'une bête.

—Des doigts courts ne sont pas toujours un défaut, reprit l'écureuil; j'en ai vu pendre plus d'un, dont tout le crime était d'avoir les doigts trop longs; et, si je suis une bête, seigneur Perlino, au moins suis-je une bête éveillée. Cela vaut mieux que d'avoir tant d'esprit et de dormir comme un loir. Si jamais le bonheur frappe à ma porte pendant la nuit, au moins serai-je debout pour lui ouvrir.

—Parle clairement, dit Perlino; depuis deux jours il se passe en moi quelque chose d'étrange. J'ai la tête lourde et le coeur chagrin; je fais de mauvais rêves. D'où cela vient-il?

—Cherche! dit l'écureuil. Ne bois point, tu ne dormiras pas; ne dors pas, tu verras bien des choses. A bon entendeur, salut!

Sur ce, l'écureuil grimpa sur une branche et disparut.

Depuis que Perlino vivait dans la retraite, la raison lui venait; rien ne rend méchant comme de s'ennuyer à deux, rien ne rend sage comme de s'ennuyer tout seul. Au souper, il étudia la figure et le sourire de la dame des Écus-Sonnants; il fut aussi gai convive que d'habitude; mais chaque fois qu'on lui présenta la coupe d'oubli, il s'approcha de la fenêtre pour admirer la beauté du soir, et chaque fois il jeta l'or potable dans le jardin. Le poison tomba, dit-on, sur des vers blancs qui perçaient la terre; c'est depuis ce temps-là que les hannetons sont dorés.

XI

LA RECONNAISSANCE

En entrant dans sa chambre, Perlino remarqua le joueur de zampogne qui le regardait tristement, mais il ne fit point de question; il avait hâte d'être seul pour voir si le bonheur frapperait à sa porte et sous quelle figure il entrerait. Son inquiétude ne fut pas de longue durée. Il n'était pas encore au lit qu'il entendit une voix douce et plaintive: c'était Violette qui, dans les termes les plus tendres, lui rappelait comment elle l'avait fait et pétri de ses propres mains, comment c'était à ses prières qu'il devait la vie; et, pourtant, il s'était laissé séduire et enlever, tandis qu'elle avait couru après lui avec une peine que Dieu veuille épargner à tout le monde. Violette lui disait encore, avec un accent plus douloureux et plus pénétrant, comment depuis deux nuits elle veillait à sa porte; comment, pour obtenir cette faveur, elle avait donné des trésors dignes de rois sans tirer de lui un seul mot, comment cette dernière nuit était la fin de ses espérances et le terme de sa vie.

En écoutant ces paroles qui lui perçaient l'âme, il semblait à Perlino qu'on le tirait d'un rêve: c'était un nuage qu'on déchirait devant ses yeux. Il ouvrit doucement la porte et appela Violette; elle se jeta dans ses bras en sanglotant. Il voulait parler: elle lui ferma la bouche; on croit toujours celui qu'on aime, et il y a des instants où l'on est si heureux, qu'on n'a pas besoin de pleurer.

—Partons, dit Perlino; sortons de ce donjon maudit.

—Partir n'est pas aisé, seigneur Perlino, répondit l'écureuil: la dame des Écus-Sonnants ne lâche pas volontiers ce qu'elle tient; pour vous éveiller, nous avons usé tous nos dons; il faudrait un miracle pour vous sauver.

—Peut-être ai-je un moyen, dit Perlino, à qui l'esprit venait comme la sève aux arbres du printemps.

Il prit le cornet qui contenait la poudre magique et gagna l'écurie, suivi de Violette et des trois amis. Là, il sella le meilleur cheval, et, marchant tout doucement, il arriva jusqu'à la loge où dormait le geôlier, les clefs à la ceinture. Au bruit des pas, l'homme s'éveilla et voulut crier; il n'avait pas ouvert la bouche, que Perlino y jetait l'or potable, au risque de l'étouffer; mais, loin de se plaindre, le geôlier se mit à sourire et retomba sur sa chaise en fermant les yeux et en tendant les mains. Se saisir du trousseau, ouvrir la grille, la refermer à triple tour, et jeter dans l'abîme ces clefs de perdition pour enfermer à jamais la convoitise dans sa prison, ce fut pour Perlino l'affaire d'un instant. Le pauvre enfant avait compté sans le trou de la serrure: il n'en faut pas plus à la convoitise pour s'échapper de sa retraite et envahir le coeur humain.

Enfin, les voilà en route, tous deux sur le même cheval: Perlino en avant, Violette en croupe. Elle avait passé les bras autour du cou de son bien-aimé, et le serrait bien fort pour s'assurer que le coeur lui battait toujours. Perlino tournait sans cesse la tête pour revoir la figure de sa chère maîtresse, pour retrouver ce sourire qu'il craignait toujours d'oublier. Adieu la frayeur et la prudence! Si l'écureuil n'avait plus d'une fois tiré la bride pour empêcher le cheval de butter ou de se perdre, qui sait si les deux voyageurs ne seraient pas encore en chemin?

Je laisse à penser la joie que ressentit ce bon Cecco en retrouvant sa fille et son gendre. C'était le plus jeune de la maison; il riait tout le long du jour sans savoir pourquoi, il voulait danser avec tout le monde; il avait tellement perdu la tête qu'il doubla les appointements de ses commis et fit une pension à son caissier, qui ne le servait que depuis trente-six ans.

Rien n'aveugle comme le bonheur. La noce fut belle, mais cette fois on eut soin de trier les amis. De vingt lieues à la ronde, il vint des abeilles qui apportèrent un beau gâteau de miel; le bal finit par une tarentelle de souris et un saltarello d'écureuils dont on parla longtemps dans Paestum. Quand le soleil chassa les invités, Violette et Perlino dansaient encore; rien ne pouvait les arrêter. Cecco, qui était plus sage, leur fit un beau sermon pour leur prouver qu'ils n'étaient plus des enfants et qu'on ne se marie pas pour s'amuser; ils se jetèrent dans ses bras en riant. Un père a toujours le coeur faible: il les prit par la main et se mit à danser avec eux jusqu'au soir.

XII

LA MORALE

—Voilà l'histoire de Perlino, qui en vaut bien une autre, me dit en se levant ma grosse hôtesse, tout émue des aventures qu'elle venait de conter.

—Et la dame des Écus-Sonnants, m'écriai-je, qu'est-elle devenue?

—Qui le sait? répondit Palomba. Qu'elle ait pleuré ou qu'elle se soit arraché un côté de cheveux, qui s'en soucie? La fourberie finit toujours par se prendre à son propre piège; c'est bien fait. La farine du diable s'en va toute en son, tant pis pour qui sert le diable, tant mieux pour les honnêtes gens!

—Et la morale?

—Quelle morale! dit Palomba, en me regardant d'un air surpris. Si Votre Excellence veut de la morale, il est deux heures, il y a un Père capucin qui prêche à vêpres, et vous voyez d'ici la cathédrale.

—C'est la morale du conte que je vous demande.

—Seigneur, me dit-elle en appuyant sur les finales, la soupe est servie, le poulet frit, le macaroni cuit, N, I, ni, mon histoire est finie. On berce les enfants avec des chansons, et les hommes avec des contes: que voulez-vous de plus?

Je me mis à table, mais je n'étais pas satisfait. Tout en ébréchant mon couteau sur un blanc de poulet, je dis à mon hôtesse:

—Votre histoire est touchante, et voilà un macaroni qui a un fumet admirable; mais, quand je raconterai aux enfants de mon pays les aventures de Perlino, je ne leur servirai pas à dîner en même temps; ils réclameront une morale.

—Eh bien, Excellence, s'il y a chez vous de ces délicats qui n'osent pas rire, de crainte de montrer leurs dents, qu'ils viennent goûter à mon macaroni. Adressez-les à Amalfi, et qu'ils demandent la Lune. Nous leur servirons dans une assiette plus de morale que n'en fournirait tout Paris.

A propos, ajouta-t-elle, on vous attend pour partir; le vent se lève, les matelots craignent que Votre Seigneurie ne soit incommodée comme ce matin. On dirait que cette nouvelle vous attriste. Bon courage! le mal passé n'est que songe, et quoique le mal futur ait les bras longs, il ne nous tient pas encore. Vous n'y pensiez pas tout à l'heure.

—Merci, ma bonne Palomba, vous m'avez trouvé ce que je cherchais. Un moment d'oubli entre de longues peines, un peu de repos au milieu du vent et de la mer, du travail et de l'ennui, voilà ce que donnent les contes et les rêves. Bien fou qui leur en demande davantage! *Ecco la moralità!*

LA SAGESSE DES NATIONS ou LES VOYAGES DU CAPITAINE JEAN

I

LE CAPITAINE JEAN

Quand j'étais enfant (il y a bien longtemps de cela), j'habitais chez mon grand-père, dans une belle campagne au bord de la Seine. Je me souviens que nous avions pour voisin un personnage singulier qu'on appelait le capitaine Jean. C'était, disait-on, un ancien marin qui avait fait cinq ou six fois le tour du monde.

Je le vois encore. C'était un gros homme court et trapu; sa figure était jaune et ridée; il avait un nez crochu comme le bec d'un aigle, des moustaches blanches et de grandes boucles d'oreilles d'or. Il était toujours habillé de la même façon: l'été, tout en blanc, depuis les pieds jusqu'à la tête, avec un large chapeau de paille; l'hiver, tout en bleu, avec un chapeau ciré, des souliers à boucles et des bas chinés. Il habitait seul, sans autre compagnie qu'un gros chien noir, et ne parlait à personne. Aussi le regardait-on comme une espèce de Croquemitaine. Quand je n'étais pas sage, ma bonne ne manquait jamais de me menacer du terrible voisin, menace qui me rendait aussitôt obéissant.

Malgré tout, je me sentais attiré vers le capitaine.

[Illustration: Il était là, immobile et guettant ses goujons.]

Je n'osais le regarder en face, il me semblait qu'il sortait une flamme de ses petits yeux, cachés par d'épais sourcils, plus blancs que ses moustaches; mais je le suivais en arrière, et, sans savoir comment, je me trouvais toujours sur son chemin. C'est que le marin n'était pas un homme comme les autres. Tous les matins, il était dans une prairie de mon grand-père, assis au bord de l'eau, pêchant à la ligne avec un bonheur qui ne se démentait jamais. Tandis qu'il était là, immobile et guettant ses goujons, je poussais des soupirs d'envie, moi à qui on défendait d'approcher de la rivière. Et quelle joie quand le capitaine appelait son chien, lui mettait une allumette enflammée dans la gueule, et bourrait tranquillement sa pipe en regardant la mine effrayée de Fidèle. C'était là un spectacle qui m'amusait plus que mon rudiment.

A dix ans, on ne cache guère ce qu'on éprouve; le capitaine s'aperçut de mon admiration et devina l'ambition qui me rongeait le coeur. Un jour que, hissé sur la pointe du pied, je regardais par-dessus l'épaule du pêcheur, retenant mon haleine et suivant d'un long regard la ligne qu'il promenait sur l'eau:

—Approchez, jeune homme, me dit-il d'une voix qui retentit à mon oreille comme un coup de canon; vous êtes un amateur, à ce que je vois. Si vous êtes capable de vous tenir tranquille pendant cinq minutes, prenez cette ligne qui est là à côté de moi.

Voyons comment vous vous en tirerez.

Dire ce qui se passa dans mon âme serait chose difficile; j'ai eu quelque plaisir dans ma vie, mais jamais une émotion aussi forte. Je rougis, les larmes me vinrent aux yeux; et me voilà assis sur l'herbe, tenant la ligne qu'avait lancée le marin, plus immobile que Fidèle, et ne regardant pas son maître avec moins de reconnaissance. L'hameçon jeté, le liège trembla: «Attention! jeune homme, me dit tout bas le capitaine, il y a quelque chose. Rendez la main, ramenez à vous doucement, allongez, et maintenant tirez lentement à vous; fatiguez-moi ce drôle-là.»

J'obéis et bientôt j'amenai un beau barbillon, avec des moustaches aussi blanches et presque aussi longues que celles du capitaine. O jour glorieux, aucun succès ne t'a effacé de mon souvenir! Tu es resté ma plus grande et ma plus douce victoire!

Depuis cette heure fortunée, je devins l'ami du capitaine. Le lendemain, il me tutoyait, m'ordonnait d'en faire autant et m'appelait son matelot. Nous étions inséparables; on l'aurait plutôt vu sans son chien que sans moi. Ma mère s'aperçut de cette passion naissante. Comme le marin était un brave homme, elle tira bon parti de mon amitié. Quand ma lecture était manquée, quand il y avait dans ma dictée une orthographe de fantaisie, on m'interdisait la compagnie de mon bon ami. Le lendemain (ce qui était plus dur encore), il fallait lui expliquer la cause de mon absence. Dieu sait de quelle façon il jurait après moi! Grâce à cette terreur salutaire, je fis des progrès rapides. Si je ne fais pas trop de fautes quand j'écris, je le dois à l'excellent homme qui, en fait d'orthographe, en savait un peu moins long que moi.

Un jour que je n'avais pas obtenu sans peine la permission de le rejoindre, et que j'avais encore le coeur gros des reproches que j'avais reçus:

—Capitaine, lui dis-je, quand donc lis-tu? quand donc écris-tu?

—Vraiment, répondit-il, cela me serait difficile; je ne sais ni lire ni écrire.

—Tu es bien heureux! m'écriai-je. Tu n'as pas de maîtres, toi, tu t'amuses toujours, tu sais tout sans l'avoir appris.

—Sans l'avoir appris? reprit-il, ne le crois pas; ce que je sais me coûte cher, tu ne voudrais pas de mon savoir au prix qu'il m'a fallu le payer.

—Comment cela, capitaine? On ne t'a jamais grondé, tu as toujours fait ce que tu as voulu.

—C'est ce qui te trompe, mon enfant, me dit-il en adoucissant en grosse voix et en me regardant d'un air de honte; j'ai fait ce qu'ont voulu les autres, et j'ai eu une terrible maîtresse qui ne donne pas ses leçons pour rien: on la nomme l'expérience. Elle ne vaut pas ta mère, je t'en réponds.

—C'est l'expérience qui t'a rendu savant, capitaine?

—Savant, non; mais elle m'a enseigné le peu que je sais. Toi, mon enfant, quand tu lis un livre, tu profites de l'expérience des autres; moi, j'ai tout appris à la sueur de mon corps. Je ne lis pas, c'est vrai, malheureusement pour moi; mais j'ai une bibliothèque qui en vaut bien une autre. Elle est là, ajouta-t-il en se frappant le front.

Qu'est-ce qu'il y a dans ta bibliothèque?

Un peu de tout: des voyages, de l'industrie, de la médecine, des proverbes, des contes. Cela te fait rire? Mon petit homme, il y a souvent plus de morale dans un conte que dans toutes les histoires romaines. C'est la sagesse des nations qui les a inventés. Grands ou petits, jeunes ou vieux, chacun peut en faire son profit.

—Si tu m'en contais un ou deux, capitaine, tu me rendrais sage comme toi.

—Volontiers, reprit le marin; mais je te préviens que je ne suis pas un diseur de belles paroles; je te réciterai mes contes comme on me les a récités; je te dirai à quelle occasion et quel profil j'en ai tiré. Écoute donc l'histoire de mon premier voyage.

II

PREMIER VOYAGE DU CAPITAINE JEAN

J'avais douze ans, et j'étais à Marseille, ma ville natale, quand on m'embarqua comme mousse à bord d'un brick de commerce qu'on nommait *la Belle-Émilie*. Nous allions au Sénégal porter de ces toiles bleues qu'on appelle des guinées, nous devions rapporter de la poudre d'or, des dents d'éléphant et des arachides. Pendant les quinze premiers jours, le voyage n'eut rien d'intéressant; je ne me souviens guère que des coups de garcette qu'on m'administrait sans compter, pour me former le caractère et me donner de l'esprit, disait-on. Vers la troisième semaine, le brick approcha des côtes d'Andalousie, et, un soir, on jeta l'ancre à quelque distance d'Alméria. La nuit venue, le second du navire prît son fusil, et s'amusait tirer des hirondelles, que je ne voyais pas, car le soleil était couché depuis longtemps.

Il y avait, par hasard, des chasseurs non moins obstinés qui se promenaient le long de la plage, et tiraient de temps en temps sur leur invisible gibier. Tout à coup on met la chaloupe à la mer, on m'y jette plus qu'on ne m'y descend; me voilà occupé à recevoir et à ranger des ballots qu'on nous passait du navire, puis on tend la voile, on se dirige vers la terre, sans faire de bruit. Je ne comprenais pas à quoi pouvait servir cette promenade par une nuit sans étoiles; mais un mousse ne raisonne guère; il obéit sans rien dire; sinon, gare les coups.

La chaloupe aborda sur une plage déserte, loin du port d'Alméria. Le second, qui nous commandait, se mit à siffler; on lui répondit, bientôt j'entendis des pas d'hommes et de chevaux. On débarqua des ballots, on les chargea sur des chevaux, des ânes, des mulets, qui se trouvaient la fort à propos; puis, le second, ayant dit aux matelots de l'attendre jusqu'au point du jour, partit et m'ordonna de le suivre. On me hisse sur une mule, entre deux paniers; nous voilà en route pour aller je ne sais où.

Au bout d'une heure, on aperçut une petite lumière, vers laquelle on se dirigea. Une voix cria: *Qui vive!* on répondit: *Les anciens.* Une porte s'ouvre; nous entrons dans une auberge habitée par des gens qui n'avaient pas la mine de très bons chrétiens. C'étaient, je l'appris bientôt, des bohémiens et des contrebandiers. Nous faisions un commerce défendu, qui nous exposait aux galères. On ne m'avait pas demandé mon avis.

Le capitaine entra, avec les bohémiens, dans une salle basse dont on ferma la porte; on me laissa seul avec une vieille femme qui préparait le souper: c'était la plus laide sorcière que j'aie vue de ma vie. Elle me prit par le bras, me regarda jusqu'au blanc des yeux: je tremblais malgré moi. Quand elle m'eut bien examiné, la vieille me parla. Je fus tout étonné d'entendre son ramage, qui ressemblait au patois de Marseille. Elle m'attacha un torchon gras autour du corps, me fit asseoir auprès d'elle, les jambes croisées sur une natte de jonc et, me jetant un poulet, m'ordonna de le plumer.

Un mousse doit tout savoir, sous peine d'être battu: je me mis à arracher les plumes de l'animal, en imitant de mon mieux la vieille, qui, de son côté, en faisait autant que moi. De temps en temps, pour m'encourager, elle me souriait de façon agréable, en me montrant chaque fois trois grandes dents jaunes tout ébréchées, seul trésor qui lui restât dans la bouche. Les poulets plumés, il fallut hacher des oignons, éplucher de l'ail, préparer le pain et la viande. Je fis de mon mieux, autant par peur de la vieille que par amitié.

—Eh bien, la mère, êtes-vous contente? lui dis-je quand tous nos préparatifs furent achevés.

—Oui, mon fils, me dit-elle, tu es un bon garçon, je veux te récompenser. Donne-moi ta main.

Elle me prit la main, la retourna, et se mit à en suivre toutes les lignes, comme si elle allait me dire la bonne aventure.

—Assez, la mère! lui dis-je en retirant ma main, je suis chrétien, je ne crois pas à tout cela.

—Tu as tort, mon fils, je t'en aurais dit bien long; car, si pauvre et si vieille que je sois, je suis d'un peuple qui sait tout. Nous autres gitanos, nous entendons des voix qui vous échappent; nous parlons avec les animaux de la terre, les oiseaux du ciel et les poissons de la mer.

—Alors, lui dis-je en riant, vous savez l'histoire et les malheurs de ce poulet que j'ai plumé?

—Non, dit la vieille, je ne me suis pas souciée de l'écouter; mais, si tu veux, je te conterai l'histoire de son frère; tu y verras que tôt ou tard on est puni par où on a péché, et que jamais un ingrat n'échappe au châtiment.

Elle me dit ces derniers mots d'une voix si sombre, que je tressaillis; puis elle commença le conte que voici.

III

HISTOIRE DE COQUERICO[1]

[Note 1: Cette histoire, fort populaire en Espagne, est racontée avec beaucoup d'esprit dans un des plus jolis romans de Fernand Caballero, *la Gaviotta ou la Mouette*.]

Il y avait une fois une belle poule qui vivait en grande dame dans la basse-cour d'un riche fermier; elle était entourée d'une nombreuse famille qui gloussait autour d'elle, et nul ne criait plus fort et ne lui arrachait plus vite les graines du bec qu'un petit poulet difforme et estropié. C'était justement celui que la mère aimait le mieux; ainsi sont faites toutes les mères; leurs préférés sont les plus laids. Cet avorton n'avait d'entier qu'un oeil, une patte et une aile; on eût dit que Salomon eût exécuté sa sentence mémorable sur Coquerico (c'était le nom de ce chétif individu) et qu'il l'eût coupé en deux du fil de sa fameuse épée. Quand on est borgne, boiteux et manchot, c'est une belle occasion d'être modeste; notre gueux de Castille était plus fier que son père, le coq le mieux éperonné, le plus élégant, le plus brave et le plus galant qu'on ait jamais vu de Burgos à Madrid. Il se croyait un phénix de grâce et de beauté, il passait les plus belles heures du jour à se mirer au ruisseau. Si l'un de ses frères le heurtait par hasard, il lui cherchait pouille, l'appelait envieux ou jaloux, et risquait au combat le seul oeil qui lui restât; si les poules gloussaient à sa vue, il disait que c'était pour cacher leur dépit, parce qu'il ne daignait même pas les regarder.

Un jour, que sa vanité lui montait à la tête plus que de coutume, il dit à sa mère:

—Écoutez-moi, madame ma mère: l'Espagne m'ennuie, je vais à Rome; je veux voir le pape et les cardinaux.

—Y penses-tu, mon enfant? s'écria la pauvre poule. Qui t'a mis dans la cervelle une telle folie? Jamais, dans notre famille, on n'est sorti de son pays; aussi sommes-nous l'honneur de notre race; nous pouvons montrer notre généalogie. Où trouveras-tu une basse-cour comme celle-ci, des mûriers pour t'abriter, un poulailler blanchi à la chaux, un fumier magnifique, des vers et des grains partout, des frères qui t'aiment, et trois chiens qui te gardent du renard? Crois-tu qu'à Rome même tu ne regretteras pas l'abondance et la douceur d'une pareille vie?

Coquerico haussa son aile manchote en signe de dédain. «Ma mère, dit-il, vous êtes une bonne femme; tout est beau à qui n'a jamais quitté son fumier; mais j'ai déjà assez d'esprit pour voir que mes frères n'ont pas d'idées, et que mes cousins sont des rustres. Mon génie étouffe dans ce trou, je veux courir le monde et faire fortune.

—Mais, mon fils, reprit la pauvre mère poule, t'es-tu jamais regardé dans la mare? Ne sais-tu pas qu'il te manque un oeil, une patte et une aile? Pour faire fortune, il faut des yeux de renard, des pattes d'araignée et des ailes de vautour. Une fois hors d'ici tu es perdu.

—Ma mère, répondît Coquerico, quand une poule couve un canard, elle s'effraye toujours de le voir courir à l'eau. Vous ne me connaissez pas davantage. Ma nature à moi, c'est de réussir par mes talents et mon esprit; il me faut un public qui soit capable de sentir les agréments de ma personne; ma place n'est pas parmi les petites gens.

Quand la poule vit que tous les sermons étaient inutiles, elle dit à Coquerico:

—Mon fils, écoute au moins les derniers conseils de ta mère. Si tu vas à Rome, évite de passer devant l'église de Saint-Pierre; le saint, à ce qu'on dit, n'aime pas beaucoup les coqs, surtout quand ils chantent. Fuis aussi certains personnages qu'on nomme cuisiniers et marmitons: tu les reconnaîtras à leur bonnet blanc, à leur tablier retroussé et à la gaine qu'ils portent au côté. Ce sont des assassins patentés qui nous traquent sans pitié, ils nous coupent le cou sans nous laisser le temps de dire *miserere!* Et maintenant, mon enfant, ajouta-t-elle en levant la patte, reçois ma bénédiction et que saint Jacques te protège; c'est le patron des pèlerins.

Coquerico ne fit pas semblant de voir qu'il y avait une larme dans l'oeil de sa mère, il ne s'inquiéta pas davantage de son père, qui cependant dressait sa crête au vent et semblait l'appeler. Sans se soucier de ceux qu'il laissait derrière lui, l'ingrat se glissa par la porte entrouverte; à peine dehors, il battit de l'aile et chanta trois fois pour célébrer sa liberté: *Coquerico, coquerico, coquerico!*

Comme il courait à travers champs, moitié volant, moitié sautant, il arriva au lit d'un ruisseau que le soleil avait mis à sec. Cependant, au milieu du sable on voyait encore un filet d'eau, mais si mince que deux feuilles tombées l'arrêtaient au passage.

Quand le ruisseau aperçut notre voyageur, il lui dit:

—Mon ami, tu vois ma faiblesse; je n'ai même pas la force d'emporter ces feuilles qui me barrent le chemin, encore moins de faire un détour, car je suis exténué. D'un coup de bec tu peux me rendre la vie. Je ne suis pas un ingrat; si tu m'obliges, tu peux compter sur ma reconnaissance au premier jour de pluie, quand l'eau du ciel m'aura rendu mes forces.

—Tu plaisantes! dit Coquerico. Ai-je la figure d'un balayeur de ruisseau? Adresse-toi à gens de ton espèce, ajouta-t-il; et de sa bonne patte il sauta par-dessus le filet d'eau.

—Tu te souviendras de moi quand tu y penseras le moins! murmura l'eau, mais d'une voix si faible que l'orgueilleux ne l'entendit pas.

Un peu plus loin, notre maître coq aperçut le vent tout abattu et tout essoufflé.

—Cher Coquerico, lui dit-il, viens à mon aide; ici-bas on a besoin les uns des autres. Tu vois où m'a réduit la chaleur du jour. Moi qui, en d'autres temps, déracine les oliviers et soulève les mers, me voilà tué par la canicule. Je me suis laissé endormir par le parfum de ces roses avec lesquelles je jouais, et me voici par terre presque évanoui. Si tu voulais me lever à deux pouces du sol avec ton bec, et m'éventer un peu avec ton aile, j'aurais la force de m'élever jusqu'à ces nuages blancs que j'aperçois là-haut, poussés par un de mes frères, et je recevrais de ma famille quelque secours qui me permettrait d'exister jusqu'à ce que j'hérite du premier ouragan.

—Monseigneur, répondit le maudit Coquerico, Votre Excellence s'est amusée plus d'une fois à me jouer de mauvais tours. Il n'y a pas huit jours encore que, se glissant en traître derrière moi, Votre Seigneurie s'est divertie à m'ouvrir la queue en éventail, et m'a couvert de confusion à la face des nations. Patience donc, mon digne ami, les railleurs ont leur tour; il leur est bon de faire pénitence et d'apprendre à respecter certains personnages qui, par leur naissance, leur beauté et leur esprit, devraient être à l'abri des plaisanteries d'un sot.

Sur quoi Coquerico, se pavanant, se mit à chanter trois fois de sa voix la plus rauque: *Coquerico, coquerico, coquerico!* et il passa fièrement son chemin.

Dans un champ nouvellement moissonné où les laboureurs avaient amassé de mauvaises herbes fraîchement arrachées, la fumée sortait d'un monceau d'ivraie et de glaieul. Coquerico s'approcha pour picorer et vit une petite flamme qui noircissait les tiges encore vertes, sans pouvoir les allumer.

—Mon bon ami, cria la flamme au nouveau venu, tu viens à propos pour me sauver la vie; faute d'aliment, je me meurs. Je ne sais où s'amuse mon cousin le vent, qui n'en fait jamais d'autres; apporte-moi quelques brins de paille sèche pour me ranimer. Ce n'est pas une ingrate que tu obligeras.

—Attends-moi, pensa Coquerico, je vais te servir comme tu le mérites, insolente qui oses t'adresser à moi! Et voilà le poulet qui saute sur le tas d'herbes humides et qui le presse si fort contre terre, qu'on n'entendit plus le craquement de la flamme et qu'il ne sortit plus de fumée. Sur quoi, maître Coquerico, suivant son habitude, se mit à chanter trois fois: *Coquerico, coquerico, coquerico!* puis, il battit de l'aile comme s'il avait achevé les exploits d'Amadis.

Toujours courant, toujours gloussant, Coquerico finit par arriver à Rome; c'est là que mènent tous les chemins. A peine dans la ville, il courut droit à la grande église de Saint-Pierre. L'admirer, il n'y songeait guère; il se plaça en face de la porte principale, et, quoique au milieu de la colonnade il ne parût pas plus gros qu'une mouche, il se hissa sur son ergot et se mit à chanter: *Coquerico, coquerico, coquerico!* rien que pour faire enrager le saint, et désobéir à sa mère.

Il n'avait pas fini qu'un suisse de la garde du saint-père, qui l'entendit crier, mit la main sur l'insolent et l'emporta chez lui pour en faire son souper.

—Tiens, dit le suisse, en montrant Coquerico à sa ménagère, donne-moi vite de l'eau bouillante pour plumer ce pénitent-là.

—Grâce! grâce, madame l'Eau! s'écria Coquerico. Eau si douce, si bonne, la plus belle et la meilleure chose du monde, par pitié, ne m'échaude pas!

—As-tu donc eu pitié de moi quand je t'ai imploré, ingrat? répondit l'eau qui bouillait de colère. D'un seul coup elle l'inonda du haut jusqu'en bas, et ne lui laissa pas un brin de duvet sur le corps.

—Le suisse prit le malheureux poulet et le mit sur le gril.

—Feu, ne me broie pas! cria Coquerico. Père de la lumière, frère du soleil, cousin du diamant, épargne un misérable, contiens ton ardeur, adoucis ta flamme, ne me rôtis pas.

—As-tu eu pitié de moi quand je t'implorais, ingrat? répondit le feu qui pétillait de colère; et d'un jet de flamme il fit de Coquerico un charbon.

Quand le suisse aperçut son rôti dans ce triste état, il tira le poulet par la patte et le jeta par la fenêtre. Le vent l'emporta sur un tas de fumier.

—O vent! murmura Coquerico qui respirait encore, zéphir bienfaisant, souffle protecteur, me voici revenu de mes vaines folies; laisse-moi reposer sur le fumier paternel.

—Te reposer! rugit le vent. Attends, je vais t'apprendre comme je traite les ingrats. Et d'un souffle il l'envoya si haut dans l'air, que Coquerico, en retombant, s'embrocha sur le haut d'un clocher.

—C'est là que l'attendait saint Pierre. De sa propre main, le saint cloua Coquerico sur le plus haut clocher de Rome. On le montre encore aux voyageurs. Si haut placé qu'il soit, chacun le méprise parce qu'il tourne au moindre vent. Il est noir, sec, déplumé, battu par la pluie; il ne s'appelle plus Coquerico, mais Girouette; c'est ainsi qu'il paye et payera éternellement sa désobéissance à sa mère, sa vanité, son insolence, et surtout sa méchanceté.

IV

LA BOHÉMIENNE

Quand la vieille eut achevé son conte, elle porta le souper au second et à ses amis; je l'aidai dans cette besogne, et pour ma part je plaçai sur la table deux grandes peaux de chèvre toutes pleines de vin; après quoi, je retournai à la cuisine avec la bohémienne, ce fut notre tour de manger.

Il y avait déjà quelque temps que notre repas était achevé, je causais amicalement avec ma vieille hôtesse, quand tout à coup on entendit du bruit, des imprécations, des juremens dans la salle du souper. Le second sortit bientôt; il avait à la main la hache qu'il portait d'ordinaire à la ceinture, il en menaçait ses compagnons de table, qui tous tenaient leur couteau à demi caché dans la main. On se querellait pour les comptes, car un des contrebandiers tenait un sac plein de piastres qu'il refusait de livrer; l'intérêt et l'ivresse empêchaient qu'on ne s'entendît.

Ce qu'il y a de singulier, c'est qu'on venait chercher la vieille pour trancher la question. Elle avait sur ces hommes une grande autorité qu'elle devait sans doute à sa réputation de sorcière; on la méprisait, mais on en avait peur. La bohémienne écouta tous ces cris qui se croisaient, puis elle compta sur ses doigts ballots et piastres, et enfin donna tort au second.

—Misérable! s'écria celui-ci, c'est toi qui payeras pour ce tas de voleurs. Il leva sa hache; je me jetai en avant pour lui arrêter le bras, et je reçus un coup qui m'estropia le pouce pour le reste de mes jours. Première leçon que me vendait l'expérience, et qui m'a donné l'horreur de l'ivresse pour le reste de mes jours.

Furieux d'avoir manqué la victime, le second me renverse à terre d'un coup de pied; il se jetait de nouveau sur la vieille, quand, soudain, je le vois s'arrêter, porter ses mains à son ventre, en retirer un long couteau tout sanglant, s'écrier qu'il est un homme mort, et tomber.

Cette horrible scène ne dura pas le temps que je prends pour la conter.

On fit silence autour du cadavre; puis bientôt les cris recommencèrent, mais cette fois on parlait une langue que je n'entendais pas, la langue des bohémiens. Un des contrebandiers montrait le sac d'argent, un autre me secouait par le collet comme s'il voulait m'étrangler, un troisième me prenait par le bras et me tirait à lui. Au milieu de ce vacarme, la vieille allait de l'un à l'autre, criant plus fort que toute la bande, portant les mains à sa tête, puis prenant mon bras et montrant mon pouce ensanglanté et presque détaché; je commençais à comprendre. Évidemment il y avait des contrebandiers qui pensaient à profiter de l'occasion, et qui, pour avoir à bon marché tout ce que nous apportions, proposaient de se débarrasser de moi et de garder l'argent. J'allais payer de ma vie la faute de me trouver, malgré moi, en mauvaise compagnie; c'est encore une leçon qui m'a coûté cher, mais qui m'a servi.

Heureusement pour moi, la vieille l'emporta; un grand coquin que sa figure pendable eût fait reconnaître au milieu de tous ces honnêtes gens se fit mon défenseur; il me mit près de lui avec la bohémienne, et, tenant à la main la hache du second, il fit un discours que je n'entendis pas, mais dont je ne perdis pas un mot; j'aurais pu le traduire ainsi: «Cet enfant a sauvé ma mère; je le prends sous ma garde; le premier qui y touche, je l'abats.»

[Illustration: Cet enfant a sauvé ma mère, je le prends sous ma garde; le premier qui y touche, je l'abats.]

C'était la seule éloquence qui pouvait me sauver; un quart d'heure après tout ce bruit, ma blessure était pansée avec de la poudre et de l'eau-de-vie; on m'avait monté sur une mule; dans un des paniers était le paquet de piastres, à côté de moi, en travers, on avait placé un grand sac qui pendait des deux côtés. Le bohémien mon sauveur m'accompagnait seul, un pistolet à chaque poing.

Arrivés à la plage, mon conducteur appela le capitaine qui se trouvait dans la chaloupe, il eut avec lui à terre une longue et vive conversation. Après quoi il m'embrassa, me remit l'argent et me dit: «Un *roumi*[1] paye le bien par le bien, et le mal par le mal. Pas un mot de ce que tu as vu, ou tu es mort.»

[Note 1: C'est le nom que se donnent entre eux les bohémiens.]

—J'entrai alors dans la chaloupe avec le capitaine, qui fit jeter dans un coin le sac, porté par deux matelots. Une fois à bord, on m'envoya coucher, j'eus grand'peine à m'endormir, mais la fatigue l'emporta sur l'agitation; quand je m'éveillai, il était midi. Je craignais d'être battu; mais j'appris qu'on n'avait pas levé l'ancre: un malheur arrivé à bord en était la cause, le second, me dit-on, était mort subitement d'une attaque d'apoplexie pour avoir trop bu d'eau-de-vie; le matin même on l'avait jeté à la mer, cousu dans un sac, un boulet aux pieds. Sa mort n'attristait personne; il était fort méchant, et on profitait de sa part dans l'expédition. Une heure après ces funérailles, on mettait à la voile, nous marchions sur Malaga et Gibraltar.

V

CONTES NOIRS

Le reste du voyage se passa sans accident. Une fois sûr de ma discrétion, le capitaine me prit en amitié; quand nous descendîmes à terre, à Saint-Louis du Sénégal, il me garda à son service, et me fit demeurer avec lui.

Pendant le temps que je restai dans ce pays nouveau, je ne voulus rien négliger de ce qui pouvait m'instruire. Les nègres qui nous entouraient de tous côtés parlaient une langue que personne ne voulait se donner la peine d'apprendre: «Ce sont des sauvages», répétait mon capitaine; après cela tout était dit.

Pour moi qui rôdais dans la ville, je me fis bientôt des amis parmi ces pauvres nègres, si affectueux et si bons. Moitié patois, moitié signes, nous finissions toujours par nous entendre; je causai si souvent avec eux de choses et d'autres, que j'en vins à parler leur langue, comme si le bon Dieu m'avait fait naître avec une peau de taupe.—«Qui s'embarque sans savoir la langue du pays où il va, dit un proverbe, ne va pas en voyage, il va à l'école.»—Le proverbe avait raison, j'appris par expérience que les nègres n'étaient ni moins intelligents ni moins fins que nous.

Parmi ceux que je voyais le plus souvent, était un tailleur qui aimait beaucoup à causer; il ne perdait jamais une occasion de me prouver, dans sa langue, que les noirs avaient plus d'esprit que les blancs.

—Sais-tu, me dit-il un jour, comment je me suis marié?

—Non, lui dis-je, je sais que tu as une femme qui est une des ouvrières les plus habiles de Saint-Louis, mais tu ne m'as pas dit comment tu l'as choisie.

—C'est elle qui a choisi et non pas moi, me dit-il; cela seul te prouve combien nos femmes ont d'intelligence et de sens. Écoute mon récit, il t'intéressera.

L'HISTOIRE DU TAILLEUR

Il y avait une fois un tailleur (c'était mon futur beau-père) qui avait une fort belle fille à marier; tous les jeunes gens la recherchaient à cause de sa beauté. Deux rivaux (tu en connais un) vinrent trouver la belle et lui dirent:

—C'est pour toi que nous sommes ici.

—Que me voulez-vous? répondit-elle en souriant.

—Nous t'aimons, reprirent les deux jeunes gens, chacun de nous désire t'épouser.

La belle était une fille bien élevée, elle appela son père qui écouta les deux prétendants et leur dit:

—Il se fait tard, retirez-vous et revenez demain; vous saurez alors qui des deux aura ma fille.

Le lendemain, au point du jour, les deux jeunes gens étaient de retour.

—Nous voici, crièrent-ils au tailleur; rappelez-vous ce que vous nous avez promis hier.

—Attendez, répondit-il, je vais au marché acheter une pièce de drap; quand je l'aurai rapportée à la maison, vous saurez ce que j'attends de vous.

Quand le tailleur revint du marché, il appela sa fille, et, lorsqu'elle fut venue, il dit aux jeunes gens:

—Mes fils, vous êtes deux, et je n'ai qu'une fille. A qui faut-il que je la donne? à qui faut-il que je la refuse? Voyez cette pièce de drap: j'y taillerai deux vêtements pareils; chacun de vous en coudra un, celui qui le premier aura fini sera mon gendre.

Chacun des deux rivaux prit sa tâche et se prépara à coudre sous les yeux du maître. Le père appela sa fille et lui dit:

—Voici du fil, tu le prépareras pour ces deux ouvriers.

La fille obéit à son père, elle prit le peloton et s'assit près des deux jeunes gens.

Mais la belle était fine; le père ne savait pas qui elle aimait, les jeunes gens ne le savaient pas davantage; mais la jeune fille le savait déjà. Le tailleur sortit; la jeune fille prépara le fil, les jeunes gens prirent leurs aiguilles et commencèrent à coudre. Mais à celui qu'elle aimait (tu m'entends) la belle donnait des aiguillées courtes, tandis qu'elle donnait des aiguilles longues à celui qu'elle n'aimait pas. Chacun cousait, cousait avec une ardeur extrême, à onze heures l'oeuvre était à peine à moitié; mais à trois heures de l'après-midi, mon ami, le jeune homme aux courtes aiguillées, avait achevé sa tâche, tandis que l'autre était loin d'avoir fini.

Quand le tailleur rentra, le vainqueur lui porta le vêtement terminé; son rival cousait toujours.

—Mes enfants, dit le père, je n'ai voulu favoriser ni l'un ni l'autre d'entre vous, c'est pourquoi j'ai partagé cette pièce de drap en deux portions égales, et je vous ai dit: Celui qui finira le premier sera mon gendre. Avez-vous bien compris cela?

—Père, répondirent les deux jeunes gens, nous avons compris ta parole et accepté l'épreuve; ce qui est fait est bien fait.

Le tailleur avait raisonné ainsi: Celui qui finira le premier sera l'ouvrier le plus habile, par conséquent ce sera celui qui soutiendra le mieux son ménage; il n'avait pas deviné que sa fille ferait des aiguillées longues pour celui dont elle ne voulait pas. C'était l'esprit qui décidait l'épreuve, c'était la belle qui se choisissait elle-même son mari.

* * * * *

Et maintenant, avant de conter mon histoire aux belles dames d'Europe, demande-leur ce qu'elles auraient fait à la place de la négresse, tu verras si la plus fine n'est pas embarrassée.

Tandis que le tailleur me contait son mariage, sa femme était entrée et travaillait sans rien dire, comme si ce récit ne la concernait pas.

—Les filles de votre pays ne sont pas bêtes, lui dis-je en riant; il me semble qu'elles ont plus d'esprit que leurs maris.

—C'est que nous avons reçu de nos mères une bonne éducation, me répondit-elle. On nous a toutes exercées avec l'histoire de la Belette.

—Contez-moi cette histoire, je vous en prie; je l'emporterai en Europe, pour en faire le profit de ma femme, quand je me marierai.

—Volontiers, me dit-elle; cette histoire, la voici:

LA BELETTE ET SON MARI

Dame Belette mit au monde un fils, puis elle appela son mari et lui dit:

—Cherche-moi des langes comme je les aime et apporte-les-moi.

Le mari écouta les paroles de sa femme et lui dit:

—Quels sont les langes que tu aimes?

Et la Belette répondit:

—Je veux la peau d'un éléphant.

Le pauvre mari resta stupéfait de cette exigence, et demanda à sa chère moitié si par hasard elle n'aurait point perdu la tête; pour toute réponse, la Belette lui jeta l'enfant sur les bras et partit aussitôt. Elle alla trouver le Ver de terre et lui dit:

—Compère, ma terre est pleine de gazon, aide-moi à la remuer.

Une fois le Ver en train de fouiller, la Belette appela la Poule:

—Commère, lui dit-elle, mon gazon est rempli de vers, nous aurons besoin de votre secours.

La Poule courut aussitôt, mangea le Ver et se mit à gratter le sol.

Un peu plus loin, la Belette rencontra le Chat:

—Compère, lui dit-elle, il y a des Poules sur mon terrain; en mon absence, vous devriez faire un tour de ce côté.

Un instant après, le Chat avait mangé la Poule.

Tandis que le Chat se régalait de la sorte, la Belette dit au Chien: «Patron, laisserez-vous le Chat en possession de ce domaine?» Le chien furieux courut étrangler le Chat, ne voulant pas qu'il y eût en ce pays d'autre maître que lui.

Le lion passant par là, la Belette le salua avec respect: «Monseigneur, lui dit-elle, n'approchez pas de ce champ, il appartient au Chien», sur quoi le Lion, plein de jalousie, fondit sur le Chien et le dévora.

Ce fut le tour de l'Éléphant: la Belette lui demanda son appui contre le Lion; l'Éléphant entra en protecteur sur le terrain de celle qui l'implorait. Mais il ne connaissait pas la perfidie de la Belette, qui avait creusé un grand trou et l'avait recouvert de feuillage. L'Éléphant tomba dans le piège et se tua en tombant; le Lion, qui avait peur de l'Éléphant, se sauva dans la forêt.

La Belette alors prit la peau de l'Éléphant et la montra à son mari, en lui disant:

—Je t'ai demandé la peau de l'Éléphant; avec l'aide de Dieu, je l'ai eue, et je te l'apporte.

Le mari de la Belette n'avait pas deviné que sa femme était plus fine que toutes les bêtes de la terre; encore moins avait-il pensé que la dame était plus fine que lui. Il le comprit alors, et voilà pourquoi nous disons aujourd'hui: il est aussi fin que la Belette.

L'histoire est finie.

* * * * *

Ce ne furent pas seulement des contes que j'appris avec les nègres; je connus bientôt leur façon de faire le commerce, leurs idées, leurs habitudes, leur morale, leurs proverbes, et je fis mon profit de leur sagesse.

Par exemple, ces bonnes gens, qui ainsi que moi ne savent ni lire ni écrire, ont, comme les Arabes et les Indiens, une façon de graver les choses dans la mémoire de leurs enfants, en leur faisant deviner des énigmes; il y en a qui valent un gros livre par l'enseignement qu'elles renferment.

—Ainsi, ajouta le capitaine, en me donnant une tape sur la tête, ce qui était son grand signe d'amitié, devine-moi celle-ci:

—Dis-moi ce que j'aime, ce qui m'aime et qui fait toujours ce qui me plaît.

—C'est ton chien, capitaine, tu as regardé Fidèle en parlant.

—Bravo, mon matelot. Continuons:

—Dis-moi ce que tu aimes un peu, ce qui t'aime beaucoup et qui fait toujours ce qui te plaît.

Tu donnes ta langue au chien; c'est ta mère, mon petit homme; tu ne crois pas qu'elle fasse toujours ce que tu veux, l'expérience t'apprendra que ce n'est jamais à elle qu'elle pense quand il s'agit de toi.

Dis-moi celle que ton père aime beaucoup, qui l'aime beaucoup et lui fait faire tout ce qui lui plaît.

—On ne fait jamais faire à papa ce qu'il ne veut pas, capitaine; maman le répète tous les jours. Mais ma soeur est mal élevée, elle rit toujours quand maman dit cela.

—C'est que ta soeur a deviné le mot de l'énigme, mon matelot. Ah! si j'avais eu une fille, je l'aurais bien forcée à me commander son caprice du matin au soir.

Reste encore une énigme:-Qu'est-ce qu'on aime ou qu'on n'aime pas, qui vous aime ou qui ne vous aime pas, mais qui vous fait toujours faire tout ce qui lui plaît?

—Je ne sais pas, capitaine.

—Eh bien, me dit-il d'un air goguenard, demande-le ce soir à ton papa.

Je ne manquai pas à la recommandation du marin; je racontai à table tout ce que j'avais appris dans la journée; les contes nègres amusèrent beaucoup ma mère; les énigmes eurent un succès complet, mais, quand j'en vins à la dernière, mon père se mit à rire.

—Ce n'est pas difficile à deviner, mon garçon, je vais te le dire…

Sur quoi ma mère regarda mon père; je ne sais pas ce qu'il lut dans ses yeux, mais il resta court.

—Dis-le-moi donc, papa, je veux le savoir.

—Si vous ne vous taisez pas, Monsieur, me dit ma mère et d'un ton sévère, je vous envoie au jardin sans dessert.

—Ah! dit mon père.

Cet ah! me rendit du courage, je donnai un coup de poing sur la table: Mais parle donc, papa!

Ma mère fit mine de se lever; mon père la prévint: en un instant je me trouvai dans le jardin, tout en larmes, avec une grande tartine de pain sec à la main.

Voilà comment je n'ai jamais su le mot de la dernière énigme. S'il y en a de plus habiles que moi qu'ils le devinent, sinon qu'ils aillent au Sénégal; peut-être la femme du tailleur leur apprendra-t-elle le secret que ma mère ne m'a jamais dit.

VI

LE SECOND VOYAGE DU CAPITAINE JEAN

Mes causeries avec les nègres avaient fait de moi un interprète et un courtier; le capitaine avait en mon zèle une pleine confiance; malgré mon jeune âge, c'est moi qui traitais avec tous les marchands. La cargaison fut bientôt faite à des conditions excellentes, et, à mon retour à Marseille, j'eus, outre ma part, un beau et riche cadeau des armateurs. Ma réputation commençait, et, après quelques voyages dans la Méditerranée, on m'offrit de partir pour l'Orient comme subrécargue d'un brick de la plus belle taille: je n'avais pas vingt ans.

Qui m'avait valu une si belle condition? Mon travail. Partout où j'avais abordé, j'avais fait connaissance avec les matelots de tout pays: grecs, levantins, dalmates, russes, italiens, et je parlais un peu la langue de tous ces gens-là. Le navire allait chercher des grains dans la mer Noire, à l'embouchure du Danube: il fallait un homme qui baragouinât tous les patois; on m'avait trouvé sous la main, et, quoique je n'eusse guère de barbe au menton, on m'avait pris.

Me voilà donc en mer, et cette fois pour mon compte, faisant un commerce loyal et n'étant l'esclave que de mon devoir. Dieu sait si je prenais de la peine pour défendre l'intérêt de mes armateurs! En arrivant à Constantinople, je trouvai moyen de placer notre cargaison d'articles divers à des conditions avantageuses, et tous nous partîmes pour Galatz, bien munis de piastres d'Espagne et de lettres de change. En entrant dans la mer Noire, notre navire portait des passagers de toute langue et de toute nation. L'un des plus singuliers était un Dalmate qui retournait chez lui par le Danube. Il était tout le jour assis à l'avant, tenant entre ses jambes un long violon qui n'avait qu'une corde, c'est ce que les Serbes nomment la *guzla*; il grattait cette corde avec un archet et chantait d'un ton plaintif et dans une langue douce et sonore les chansons de son pays: celles-ci, par exemple, qu'il récitait tous les soirs à la clarté des étoiles, et que je n'ai pas oubliées:

LE CHANT DU SOLDAT

Je suis un jeune soldat, toujours, toujours à l'étranger.

—Quand j'ai quitté mon bon père, la lune brillait au ciel.

—La lune brille au ciel, j'entends mon père qui me pleure.

—Quand j'ai quitté ma bonne mère, le soleil brillait au ciel.

—Le soleil brille au ciel, j'entends ma mère qui me pleure.

—Quand j'ai quitté mes frères chéris, les étoiles brillaient au ciel.

—Les étoiles brillent au ciel, j'entends mes frères qui me pleurent.

—Quand j'ai quitté mes soeurs chéries, les pivoines étaient en fleur.

—Voici la pivoine qui fleurit, j'entends mes soeurs qui me pleurent.

—Quand j'ai quitté ma bien-aimée, les lis fleurissaient au jardin.

—Voici le lis en fleur, j'entends ma bien-aimée qui me pleure.

—Il faut que ces larmes sèchent, demain je veux partir d'ici.

—Je suis un jeune soldat, toujours, toujours à l'étranger.

LE CHANT DU FIANCÉ

—Vois cet oiseau, vois ce faucon qui s'élève au plus haut dès cieux. Si je pouvais le prendre et l'enfermer dans ma chambre!

—Cher oiseau, faucon au beau plumage, apporte-moi quelque nouvelle.

—Volontiers, mais je ne dirai rien d'heureux. Avec un autre s'est fiancée ta bien-aimée.

—Valet, selle mon alezan; moi aussi, je veux être là.

Quand elle est entrée dans l'église, c'était encore une simple fille; maintenant, assise sur ce banc magnifique, c'est une grande dame.

—Vois-tu la lune qui s'élève entre deux petites étoiles? C'est ma bien-aimée entre ses deux belles-soeurs.

Quand elle va pour se fiancer, je l'arrête au passage.—Chère enfant, rends-moi l'anneau que j'ai acheté.

—Va maintenant, va, mon enfant, et point de reproche: oui, c'est mon pauvre coeur qui pleure, mais ce n'est pas de toi qu'il se plaint.

* * * * *

La mer Noire n'est pas toujours commode; j'ai traversé plus d'une fois les deux Océans, je connais leurs tempêtes; mais je crains moins leurs longues vagues qui déferlent contre le navire que ces petits flots pressés qui roulent et fatiguent un vaisseau, et qui, tout à coup, s'entr'ouvrent comme un abîme. Depuis deux jours et deux nuits nous étions en perdition, personne ne pouvait tenir sur le pont, hormis mon Dalmate, qui s'était attaché à un des bancs par la ceinture, et qui, tout mouillé qu'il était, chantait toujours les airs de son pays.

—Seigneur Dalmate, lui dis-je en un moment où le vent et la mer nous laissaient un peu respirer, je vois que vous êtes un brave, vous n'avez pas peur du naufrage.

—Qui peut empêcher sa destinée? me dit-il en raclant son violon; le plus sage est de s'y résigner.

—Voilà parler comme un Turc, lui répondis-je; un chrétien n'est pas si patient.

—Pourquoi ne serait-on pas chrétien et résigné à la volonté divine? reprit-il. Ce que Dieu nous promet, c'est le ciel, si nous sommes honnêtes gens; il ne nous a jamais promis la santé, la richesse, le salut en mer et autres choses passagères. Tout cela est abandonné à une puissance secondaire qui n'a d'empire que sur la terre; ceux qui l'ont vue la nomment *le Destin*.

—Comment, m'écriai-je, ceux qui l'ont vue? Vous croyez donc que le Destin existe?

—Pourquoi non? me répondit-il tranquillement. Si vous en doutez, écoutez cette histoire; les principaux acteurs vivent encore au Cattare; ce sont mes cousins, je vous les montrerai quand vous reviendrez.

VII

LE DESTIN

Il y avait une fois deux frères qui vivaient ensemble au même ménage; l'un faisait tout, tandis que l'autre était un indolent, qui ne s'occupait que de boire et de manger. Les récoltes étaient toujours magnifiques, ils avaient en abondance boeufs, chevaux, moutons, porcs, abeilles et le reste.

L'aîné, qui faisait tout, se dit un jour: Pourquoi travailler pour cet indolent? Mieux vaut nous séparer; je travaillerai pour moi seul, et il fera alors ce que bon lui semblera. Il dit donc à son frère.

—Mon frère, il est injuste que je m'occupe de tout, tandis que tu ne veux m'aider en rien et ne penses qu'à boire et à manger; il faut nous séparer.

L'autre essaya de le détourner de ce projet en lui disant:

—Frère, ne fais pas cela; nous sommes si bien. Tu as tout entre les mains, aussi bien ce qui est à toi que ce qui est à moi, et tu sais que je suis toujours content de ce que tu fais et de ce que tu ordonnes.

Mais l'aîné persista dans sa résolution, si bien que le cadet dut céder, et lui dit:

—Puisqu'il en est ainsi, je ne t'en voudrai pas pour cela; fais le partage comme il te plaira.

Le partage fait, chacun choisit son lot. L'indolent prit un bouvier pour ses boeufs, un pasteur pour ses chevaux, un berger pour ses brebis, un chevrier pour ses chèvres, un porcher pour ses porcs, un gardien pour ses abeilles, et leur dit à tous:

—Je vous confie mon bien, que Dieu vous surveille!

Et il continua de vivre dans sa maison sans plus de souci qu'auparavant.

L'aîné, au contraire, se fatigua pour sa part autant qu'il avait fait pour le bien commun: il garda lui-même ses troupeaux, ayant l'oeil à tout; malgré cela, il ne trouva partout que mauvais succès et dommage. De jour en jour tout lui tournait à mal, jusqu'à ce qu'enfin il devint si pauvre, qu'il n'avait même plus une paire d'opanques[1], et qu'il allait nu-pieds. Alors il se dit:

[Note 1: C'est la chaussure des Serbes, qui est faite avec des lanières de cuir.]

—J'irai chez mon frère voir comment les choses vont chez lui.

Son chemin le menait dans une prairie où paissait un troupeau de brebis, et, quand il s'en approcha, il vit que les brebis n'avaient point de berger. Près d'elles seulement était assise une belle jeune fille qui filait un fil d'or.

Après avoir salué la fille d'un «Dieu te protège!» il lui demanda à qui était ce troupeau; elle lui répondit:

—A qui j'appartiens appartiennent aussi ces brebis.

—Et qui es-tu? continua-t-il.

—Je suis la fortune de ton frère, répondit-elle.

Alors il fut pris de colère et d'envie, et s'écria:

—Et ma fortune, à moi, où est-elle?

La fille lui répondit:

—Ah! elle est bien loin de toi.

—Puis-je la trouver? demanda-t-il.

Elle lui répondit:—Tu le peux, seulement cherche-la.

Quand il eut entendu ces mots et qu'il vit que les brebis de son frère étaient si belles qu'on n'en pouvait imaginer de plus belles, il ne voulut pas aller plus loin pour voir les autres troupeaux, mais il alla droit à son frère. Dès que celui-ci l'aperçut, il en eut pitié et lui dit en fondant en larmes:

—Où donc as-tu été depuis si longtemps?

Et, le voyant en haillons et nu-pieds, il lui donna une paire d'opanques et quelque argent.

Après être resté trois jours chez son frère, le pauvre partit pour retourner chez lui; mais, une fois à la maison, il jeta un sac sur ses épaules, y mit un morceau de pain, prit un bâton à la main, et s'en alla ainsi par le monde pour y chercher sa fortune. Ayant marché quelque temps, il se trouva dans une grande forêt, et rencontra une abominable vieille qui dormait sous un buisson. Il se mit à fouiller la terre avec son bâton, et, pour éveiller la vieille, il lui donna un coup dans le dos. Cependant elle ne se remua qu'avec peine, et, n'ouvrant qu'à demi ses yeux chassieux, elle lui dit:

—Remercie Dieu que je me sois endormie, car, si j'avais été éveillée, tu n'aurais pas ces opanques.

Alors il lui dit:—Qui donc es-tu, toi qui m'aurais empêché d'avoir ces opanques?

La vieille lui dit:—Je suis ta fortune.

En entendant ces mots, il se frappa la poitrine en criant:

—Comment! c'est toi qui es ma fortune? Puisse Dieu t'exterminer! Qui donc t'a donnée à moi?

Et la vieille lui dit:

—C'est le Destin.

—Où est le Destin? demanda-t-il.

—Va et cherche-le, lui répondit-elle en se rendormant.

Alors il partit et s'en alla chercher le Destin.

[Illustration: La vieille lui dit: «Je suis ta Fortune.»]

Après un long, bien long voyage, il arriva enfin dans un bois, et dans ce bois il trouva un ermite à qui il demanda s'il ne pourrait pas avoir des nouvelles du Destin; l'ermite lui dit:

—Va sur la montagne, tu arriveras droit à son château; mais, quand tu seras près du Destin, ne t'avise pas de lui parler; fais seulement tout ce que tu lui verras faire jusqu'à ce qu'il t'interroge.

Le voyageur remercia l'ermite et prit le chemin de la montagne. Et, quand il fut arrivé dans le château du Destin, c'est là qu'il vit de belles choses! C'était un luxe royal, il y avait une foule de valets et de servantes toujours en mouvement et qui ne faisaient rien. Pour le Destin, il était assis à une table servie et il soupait. Quand l'étranger vit cela, il se mit aussi à table et mangea avec le maître du logis. Après le souper, le Destin se coucha, l'autre en fit autant. Vers minuit, voici que dans le château il se fait un bruit terrible, et au milieu du bruit on entendait une voix qui criait:

—Destin, Destin, il y a aujourd'hui tant et tant d'âmes qui sont venues au monde: donne-leur quelque chose à ton bon plaisir!

Et voilà le Destin qui se lève; il ouvre un coffre doré et sème dans la chambre des ducats tout brillants en disant:

—Tel je suis aujourd'hui, tels vous serez toute votre vie!

Au point du jour, le beau château s'évanouit, et à sa place il y eut une maison ordinaire, mais où rien ne manquait. Quand vint le soir, le Destin se remit à souper, son hôte en fit autant; personne ne dit mot.

Après souper tous deux allèrent se coucher. Vers minuit, voici que dans le château recommence un bruit terrible, et au milieu du bruit on entendait une voix qui criait:

—Destin, Destin, il y a aujourd'hui tant et tant d'âmes qui ont vu la lumière, donne-leur quelque chose à ton bon plaisir!

Et voilà le Destin qui se lève, il ouvre un coffre d'argent; mais cette fois il n'y avait pas de ducats, ce n'était que des monnaies d'argent mêlées par-ci par-là de quelques pièces d'or. Le destin sema cet argent sur la terre en disant:

—Tel je suis aujourd'hui, tels vous serez toute votre vie!

Au point du jour la maison avait disparu, et à sa place il y en avait une autre plus petite. Ainsi se passa chaque nuit; chaque matin la maison diminuait, jusqu'à ce qu'enfin il n'y eut plus qu'une misérable cabane; le Destin prit une bêche et se mit à fouiller la terre; son hôte en fit autant, et ils bêchèrent tout le jour. Quand vint le soir, le Destin prit une croûte de pain dur, en cassa la moitié et la donna à son compagnon. Ce fut tout leur souper: quand ils l'eurent mangé, ils se couchèrent.

Vers minuit, voici que recommence un bruit terrible, et au milieu du bruit on distinguait une voix qui disait:

—Destin, Destin, tant et tant d'âmes sont venues au monde cette nuit: donne-leur quelque chose à ton bon plaisir.

Et voilà le Destin qui se lève; il ouvre un coffre et se met à semer des cailloux, et parmi ces cailloux quelques menues monnaies, et, ce faisant, il disait:

—Tel je suis aujourd'hui, tels vous serez toute votre vie.

Quand le matin reparut, la cabane s'était changée en un grand palais comme au premier jour. Alors pour la première fois le Destin parla à son hôte et lui dit:

—Pourquoi es-tu venu?

Celui-ci conta en détail sa misère; et comment il était venu pour demander au Destin lui-même pourquoi il lui avait donné une si mauvaise fortune. Le Destin lui répondit:

—Tu as vu comment la première nuit j'ai semé des ducats, et ce qui a suivi. Tel je suis la nuit où naît un homme, tel cet homme sera toute sa vie. Tu es né dans une nuit de pauvreté, tu resteras pauvre toute ta vie. Ton frère, au contraire, est venu au monde dans une heureuse nuit. Il restera heureux jusqu'à la fin. Mais, puisque tu as pris tant de peine pour me chercher, je te dirai comment tu peux t'aider. Ton frère a une fille du nom de Miliza, qui est aussi fortunée que son père. Prends-la pour femme quand tu seras de retour au pays, et tout ce que tu acquerras, aie soin de dire que cela est à ta femme.

L'hôte remercia le Destin bien des fois et partit. Quand il fut de retour au pays, il alla droit chez son frère, et lui dit:

—Frère, donne-moi Miliza, tu vois que sans elle je suis seul au monde!

Et le frère répondit:

—Cela me plaît; Miliza est à toi.

Le nouveau marié emmena dans sa maison la fille de son frère, et il devint très riche, mais il disait toujours:

—Tout ce que j'ai est à Miliza.

Un jour, il alla aux champs pour voir ses blés, qui étaient si beaux qu'on ne pouvait trouver rien de plus beau. voilà qu'un voyageur vint à passer sur le chemin et lui demanda:

—A qui ces blés?

Et lui, sans y penser, répondit:

—Ils sont à moi.

Mais à peine avait-il parlé que voilà les blés qui s'enflamment et le champ qui est tout en feu. Vite il court après le voyageur, et lui crie:

—Arrête, mon frère; ces blés ne m'appartiennent pas, ils sont à Miliza, la fille de mon frère.

Le feu cessa aussitôt, et dès lors notre homme fut heureux, grâce à Miliza.

* * * * *

—Seigneur Dalmate, dis-je, à mon conteur, votre histoire est jolie, quoiqu'elle sente terriblement le turc. En mon pays, nous avons d'autres idées: loin de nous en remettre à la fortune, nous comptons sur nous-mêmes, sur notre esprit plus encore que sur notre bras, sur notre prudence plus que sur notre hardiesse. Aussi, dans ma patrie, paye-t-on cher un bon conseil.

—Ainsi fait-on chez moi, me répondit le Dalmate en rajustant son bonnet de peau qui lui tombait sur les yeux; écoutez ce qui est arrivé, l'an dernier, à un de mes voisins.

VIII

LE FERMIER PRUDENT

Il y avait près de Raguse un fermier qui se mêlait aussi de commerce. Un jour, il partit pour la ville, emportant avec lui tout son argent, afin de faire quelques achats. En arrivant à un carrefour, il demanda à un vieillard qui se trouvait là quelle route il lui fallait prendre.

—Je te le dirai si tu me donnes cent écus, répondit l'étranger; je ne parle pas à moins; chacun de mes avis vaut cent écus.

—Diable! pensa le fermier en regardant la mine de l'étranger, qui avait l'air d'un renard, qu'est-ce que peut être un avis qui vaut cent écus? Ce doit être quelque chose de bien rare, car, en général, on vous donne pour rien des conseils; il est vrai qu'ils ne valent pas davantage. Allons, dit-il à l'homme, parle, voilà tes cent écus.

—Écoute donc, reprit l'étranger; cette route qui va tout droit, c'est la route d'aujourd'hui; celle qui fait un coude, c'est la route de demain. J'ai encore un avis à te donner, continua-t-il; mais il faut aussi me le payer cent écus.

Le fermier réfléchit longtemps, puis il se décida.

—Puisque j'ai payé le premier conseil, je puis bien payer le second.

Et il donna encore cent écus.

—Écoute donc, lui dit l'étranger: Quand tu seras en voyage et que tu entreras dans une hôtellerie, si l'hôte est vieux et si le vin est jeune, va-t-en au plus vite si tu ne veux pas qu'il t'arrive malheur. Donne-moi encore cent écus, ajouta-t-il, j'ai encore quelque chose à te dire.

Le fermier se mit à réfléchir.

—Qu'est-ce donc que ce nouvel avis? Bah! puisque j'en ai acheté deux, je peux bien payer le troisième.

Et il donna ses derniers cent écus.

—Écoute donc, lui dit l'étranger: si jamais tu te mets en colère, garde la moitié de ton courroux pour le lendemain; n'use pas toute ta colère en un jour.

Le fermier reprit le chemin de sa maison, où il arriva les mains vides.

—Qu'as-tu acheté? lui demanda sa femme.

—Rien que trois avis, répondit-il, qui m'ont coûté chacun cent écus.

—Bien! dissipe ton argent, jette-le au vent, suivant ton habitude.

—Ma chère femme, reprit doucement le fermier, je ne regrette pas mon argent; tu vas voir quelles sont les paroles que j'ai payées.

Et il lui conta ce qu'on lui avait dit; sur quoi la femme haussa les épaules et l'appela un fou qui ruinait sa maison et mettait ses enfants sur la paille.

Quelque temps après, un marchand s'arrêta devant la porte du fermier, avec deux voitures pleines de marchandises. Il avait perdu en route un associé, et offrit au fermier cinquante écus, s'il voulait se charger d'une des voitures et venir avec lui à la ville.

—J'espère, dit à son mari la femme du fermier, que tu ne refuseras pas; cette fois, du moins, tu gagneras quelque chose.

On partit; le marchand conduisait la première voiture, le fermier menait la seconde. Le temps était mauvais, les chemins rompus, on n'avançait qu'à grand'peine. On arriva enfin aux deux routes, le marchand demanda celle qu'il fallait prendre.

—C'est celle de demain, dit le fermier; elle est plus longue, mais elle est plus sûre.

Le marchand voulut prendre la route d'aujourd'hui.

—Quand vous me donneriez cent écus, dit le fermier, je n'irais pas par ce chemin.

On se sépara donc. Le fermier, qui avait choisi la voie la plus longue, arriva néanmoins bien avant son compagnon, sans que sa voiture eut souffert. Le marchand n'arriva qu'à la nuit; sa voiture était tombée dans un marais, tout le chargement était endommagé, et le maître était blessé, par-dessus le marché.

Dans la première auberge où on descendit, il y avait un vieil hôtelier; une branche de sapin annonçait qu'on y vendait du vin nouveau. Le marchand voulut s'arrêter là pour y passer la nuit.

—Je ne le ferais pas quand vous me donneriez cent écus! s'écria le fermier.

Et il sortit au plus vite, laissant son compagnon.

Vers le soir, quelques jeunes désoeuvrés qui avaient trop goûté au vin nouveau se querellèrent à propos d'une cause futile. On tira les couteaux; l'hôte, alourdi par les années, n'eut pas la force de séparer ni d'apaiser les combattants. Il y eut un homme tué, et, comme on craignait la justice, on cacha le cadavre dans la voiture du marchand.

Celui-ci, qui avait bien dormi et n'avait rien entendu, se leva de grand matin pour atteler ses chevaux. Effrayé de trouver un mort sur son chariot, il voulut fuir au plus vite pour ne pas être mêlé dans un procès fâcheux; mais il avait compté sans la police autrichienne; on courut après lui. En attendant que la justice éclaircît l'affaire, on jeta mon homme en prison et on confisqua tout son avoir.

Quand le fermier apprit ce qui était arrivé à son compagnon, il voulut, au moins, mettre en sûreté sa voiture, et reprit le chemin de sa maison. Comme il approchait du jardin, il aperçut à la brume un jeune soldat monté sur un de ses plus beaux pruniers, et qui faisait tranquillement la récolte du bien d'autrui. Le fermier arma son fusil pour tuer le voleur; mais il réfléchit.

—J'ai payé cent écus, pensa-t-il, pour apprendre qu'il ne faut pas dépenser toute sa colère en un jour. Attendons à demain, mon voleur reviendra. Il prit un détour pour entrer dans la maison par un autre côté, et, comme il frappait à la porte, voilà le jeune soldat qui se jette dans ses bras en criant:

—Mon père, j'ai profité de mon congé pour vous surprendre et vous embrasser.

Le fermier dit alors à sa femme:

—Écoute maintenant ce qui m'est arrivé, tu verras si j'ai payé trop cher mes trois avis.

Il lui conta toute l'histoire; et, comme le pauvre marchand fut pendu, quoi qu'il pût faire, le fermier se trouva l'héritier de cet imprudent. Devenu riche, il répétait tous les jours qu'on ne paye jamais trop cher un bon conseil, et, pour la première fois, sa femme était de son avis.

IX

LES TROIS HISTOIRES DU DALMATE

—Seigneur Dalmate, lui dis-je quand il eut fini son histoire, voilà sans doute un beau conte, mais ce n'est pas le Destin qui a fait la fortune de ce sage fermier, c'est le calcul, la raison. Votre second récit détruit le premier, et fort heureusement, car il serait triste que les paresseux fissent fortune, et que les gens actifs qui sèment le grain ne récoltassent que le vent.

—Les paresseux réussissent quelquefois, me répondit-il gravement; j'en sais an exemple que je puis vous conter.

—Vous avez donc des contes sur toutes choses? m'écriai-je.

—Contes et chansons, c'est toute la vie, me répondit-il froidement.

LA PARESSEUSE

Il y avait une fois une mère qui avait une fille très paresseuse et qui n'avait de goût pour aucune espèce de travail. Elle la conduisit dans un bois, auprès d'un carrefour, se mit à la battre de toutes ses forces. Près de là passait par hasard un seigneur qui demanda à la mère pourquoi ce rude châtiment.

—Mon cher seigneur, répondit-elle, c'est que ma fille est une travailleuse insupportable: elle nous file jusqu'à la mousse qui garnit les murs.

—Confiez-la-moi, dit le seigneur, je lui donnerai de quoi filer toute son envie.

—Prenez-la, dit la mère, prenez-la, je n'en veux plus.

Et le seigneur l'emmène à sa maison, ravi de cette belle acquisition.

Le soir même, il enferma la jeune fille toute seule dans une chambre où était un grand tonneau plein de chanvre. C'est là qu'elle se trouva dans une grande peine.

—Comment faire? Je ne veux pas filer, je ne sais pas filer!

Mais, vers la nuit, voici trois vieilles sorcières qui frappent à la fenêtre, et la fille les fait entrer bien vite.

—Si tu veux nous inviter à tes noces, lui dirent-elles, nous t'aiderons à filer ce soir.

—Filez, Mesdames, répondit-elle bien vite, je vous invite à mon mariage.

Et voilà les trois sorcières qui filent et filent tout ce qu'il y avait dans le tonneau, tandis que la paresseuse dormait à loisir.

Le matin, quand le seigneur entra dans la chambre, il vit tout le mur garni de fil, et la jeune fille qui dormait. Il sortit sur la pointe du pied et défendit que personne entrât dans la chambre, afin que la fileuse pût se reposer d'un si grand travail. Cela n'empêcha pas que, le jour même, il ne fit apporter un second tonneau plein de chanvre, mais les sorcières revinrent à l'heure dite, et tout se passa comme le premier jour.

[Illustration: Quand le seigneur les eut vues dans toute leur laideur, il dit à sa fiancée: «Tes tantes ne sont pas belles.»]

Le seigneur fut émerveillé, et, comme il n'y avait plus rien à filer dans la maison, il dit à la jeune fille:

—Je veux t'épouser, car tu es la reine des filandières.

La veille du mariage, la prétendue fileuse dit à son mari:

—Il faut que j'invite mes tantes.

Et le seigneur répondit qu'elles seraient les bienvenues.

Une fois entrées, les trois sorcières se mirent auprès du poêle; elles étaient horribles; quand le seigneur les eut vues dans toute leur laideur, il dit à sa fiancée:

—Tes tantes ne sont pas belles.

Puis, s'approchant de la première sorcière, il lui demanda pourquoi elle avait un si long nez.

—Mon cher neveu, répondit-elle, c'est à force de filer. Quand on file toujours, et que toute la journée on branle la tête, le nez s'allonge insensiblement.

Le seigneur passa à la seconde, et lui demanda pourquoi elle avait de si grosses lèvres.

—Mon cher neveu, répondit-elle, c'est à force de filer. Quand on file toujours, et que toute la journée on mouille son fil, les lèvres grossissent insensiblement.

Alors il demanda à la troisième pourquoi elle était bossue.

—Mon cher neveu, dit-elle, c'est à force de filer. Quand on est assise et courbée toute la journée, le dos se plie insensiblement.

Et alors le seigneur eut grand'peur qu'à force de filer sa femme ne devint aussi horrible que ces trois Parques, il jeta au feu quenouille et fuseau. Si la paresseuse en fut fâchée, je le laisse à deviner à celles qui lui ressemblent.

—Mon conte est fini.

—Je vois avec plaisir, dis-je à mon Dalmate, qu'en votre heureux pays les femmes réussissent sans peine et sans esprit.

—Pas du tout, s'écria mon insupportable conteur, il n'y a pas d'endroit au monde où les femmes soient tout à la fois plus fines et plus sages. Ne savez-vous pas comment la fille d'un mendiant épousa l'empereur d'Allemagne, et, tout empereur qu'il fût, se montra plus habile et meilleure que lui?

—Encore un conte! m'écriai-je.

—Non, pas un conte, reprit-il, mais une histoire; vous la trouverez dans tous les livres qui disent la vérité.

DE LA DEMOISELLE QUI ÉTAIT PLUS AVISÉE QUE L'EMPEREUR

Il y avait une fois un pauvre homme qui vivait dans une cabane: il n'avait avec lui qu'une fille, mais elle était très avisée. Elle allait partout chercher des aumônes et apprenait aussi à son père à parler avec sagesse et à obtenir ce qu'il lui fallait. Un jour il advint que le pauvre homme alla vers l'Empereur, et le pria de lui donner quelque chose.

L'Empereur, surpris de la façon dont parlait ce mendiant, lui demanda qui il était et qui lui avait appris à s'exprimer de la sorte.

—C'est ma fille, répondit-il.

—Et ta fille, qui donc l'a instruite? demanda l'Empereur; à quoi le pauvre homme répondit:

—C'est Dieu qui l'a instruite, ainsi que notre extrême misère.

Alors l'Empereur lui donna trente oeufs et lui dit:

—Porte ces oeufs à ta fille, et dis-lui qu'elle m'en fasse éclore des poulets; si elle ne les fait pas éclore, mal lui en adviendra.

Le pauvre homme rentra tout pleurant dans sa cabane et conta la chose à sa fille. La fille reconnut de suite que les oeufs étaient cuits; mais elle dit à son père d'aller se reposer et qu'elle aurait soin de tout. Le père suivit le conseil de sa fille et se mit à dormir; pour elle, prenant une marmite, elle l'emplit d'eau et de fèves et la mit sur le feu; le lendemain, quand les fèves furent bouillies, elle appela son père, lui dit de prendre une charrue et des boeufs et d'aller labourer le long de la route où devait passer l'Empereur:

—Et, ajouta-t-elle, quand tu verras l'Empereur, prends des fèves, sème-les et dis bien haut: «Allons, mes boeufs, que Dieu me protège à fasse pousser mes fèves bouillies!» Et si l'Empereur te demande comment il est possible de faire pousser des fèves bouillies, réponds-lui:—Cela est aussi aisé que de faire sortir un poulet d'un oeuf dur.

Le pauvre homme fit ce que voulait sa fille; il sortit, il laboura, et, quand il vit l'Empereur, il se mit à crier:

—Allons, mes boeufs, que Dieu me protège et fasse pousser mes fèves bouillies!

Dès que l'Empereur entendit ces mots, il s'arrêta sur la route et dit aussitôt:

—Pauvre fou, comment est-il possible de faire pousser des fèves bouillies?

Et le pauvre homme répondit:

—Gracieux Empereur, cela est aussi aisé que de faire sortir un poulet d'un oeuf dur.

L'Empereur devina que c'était la fille qui avait poussé le père à agir de la sorte; il dit à ses valets de prendre le pauvre homme et de l'amener devant lui; puis il lui remit un petit paquet de chanvre et dit:

—Prends cela, tu m'en feras des voiles, des cordages, et tout ce dont on a besoin pour un vaisseau, sinon je te ferai trancher la tête.

Le pauvre homme prit le paquet dans un grand trouble, et retourna tout en larmes vers sa fille à laquelle il conta ce qui s'était passé; sa fille lui dit d'aller dormir, en lui promettant qu'elle arrangerait tout. Le lendemain, elle prit un morceau de bois, éveilla son père et lui dit:

—Prends cette allumette et porte-la à l'Empereur; qu'il m'y taille un fuseau, une navette et un métier, après cela je lui ferai ce qu'il a demandé.

Le pauvre homme suivit encore une fois le conseil de sa fille; il alla trouver l'Empereur, et lui récita tout ce qu'on lui avait appris.

Quand l'Empereur entendit cela, il fut étonné, et chercha ce qu'il pourrait faire; puis, prenant un verre à boire, il le donna au pauvre en disant:

—Prends ce verre, porte-le à ta fille, afin qu'elle m'épuise la mer et qu'elle en fasse un champ à labourer.

Le pauvre homme obéit en pleurant, et porta le verre à sa fille en lui redisant mot pour mot les paroles de l'Empereur. Et sa fille lui dit qu'il attendît au lendemain, et qu'elle arrangerait toute chose. Le lendemain matin elle appela son père, lui donna une livre d'étoupes, et lui dit:

—Porte ceci à l'Empereur pour qu'il étoupe toutes les sources et toutes les embouchures de tous les fleuves de la terre, après cela je lui dessécherai la mer.

Et le pauvre homme alla tout redire à l'Empereur.

Alors celui-ci vit bien que la demoiselle en savait plus que lui; il ordonna qu'on la fît venir, et, quand le père eut amené sa fille, et que tous deux eurent salué l'Empereur, ce dernier dit:

—Ma fille, devinez ce qu'on entend de plus loin. Et la demoiselle répondit:

—Gracieux Empereur, ce qu'on entend de plus loin, c'est le tonnerre et le mensonge.

Alors l'Empereur prit sa barbe dans sa main, et se tournant vers ses conseillers:

—Devinez, leur dit-il, combien vaut ma barbe.

Et, quand ils l'eurent tous estimée, l'un plus et l'autre moins, la demoiselle leur soutint en face qu'aucun d'eux n'avait deviné, et elle dit:

—La barbe de l'Empereur vaut autant que trois pluies dans la sécheresse de l'été.

L'Empereur fut ravi, et dit:

—C'est elle qui a le mieux deviné.

Et il lui demanda si elle voulait être sa femme, ajoutant qu'il ne la lâcherait pas qu'elle n'eût consenti. La demoiselle s'inclina et dit:

[Illustration: La barbe de l'Empereur vaut autant que trois pluies dans la sécheresse de l'été.]

—Gracieux Empereur, que ta volonté soit faite! Je te demande seulement d'écrire sur une feuille de papier, et de ta propre main, que si un jour tu deviens méchant pour moi, et que tu veuilles m'éloigner de toi et me renvoyer de ce château, j'aurai le droit d'emporter avec moi ce que j'aimerai le mieux.

L'Empereur y consentit, et lui en donna un écrit cacheté de cire rouge et timbré du grand sceau de l'Empire.

Après quelque temps il arriva en effet que l'Empereur devint si méchant pour sa femme, qu'il lui dit:

—Je ne veux plus que tu sois ma femme; quitte mon château, et va où tu voudras.

L'Impératrice répondit:

—Illustre Empereur, je t'obéirai; permets-moi seulement de passer encore une nuit ici; demain je partirai.

L'Empereur lui accorda cette demande, et alors l'Impératrice, avant de souper, mit dans le vin de l'eau-de-vie et des herbes odorantes; puis elle engagea l'Empereur à boire en lui disant:

—Bois, Empereur, et sois joyeux; demain nous nous quitterons, et, crois-moi, je serai plus gaie que le jour où je me suis mariée.

L'Empereur n'eut pas plutôt bu ce breuvage qu'il s'endormît; alors l'Impératrice le fit mettre dans une voiture qu'on tenait toute prête, et elle l'emmena dans une grotte taillée dans le rocher. Quand l'Empereur se réveilla dans cette grotte et vit où il se trouvait, il s'écria:

—Qui m'a conduit ici?

A quoi l'Impératrice répondit:

—C'est moi qui t'ai conduit ici.

Et l'Empereur lui dit:

—Pourquoi as-tu fait cela? Ne t'ai-je pas dit que tu n'étais plus ma femme?

Mais alors elle lui tendit la papier en disant:

—Il est vrai que tu m'as dit cela, mais vois ce que tu m'as accordé par ce papier. En te quittant, j'ai le droit d'emporter avec moi ce que j'aime le mieux dans ton château.

Quand l'Empereur entendit cela, il l'embrassa et retourna dans son château avec elle pour ne plus la quitter.

—A merveille, monsieur le conteur, lui dis-je; je retire ce que j'avais dit sur les dames de Dalmatie; en revanche, je vois qu'aux bords de l'Adriatique comme au Sénégal et peut-être ailleurs, ce sont les femmes qui sont maîtresses au logis. Ce n'est pas un mal. Heureuses celles qui exercent ce doux empire! plus heureux ceux qui se laissent gouverner!

—Pas du tout, reprit mon Dalmate toujours prêt à me donner un démenti; chez nous, ce sont les hommes qui sont maîtres à la maison; nous dînons seuls à table, et notre femme, debout, derrière nous, est là pour nous servir.

—Ceci ne prouve rien, répondis-je; il y a plus d'un homme qui, marié ou non, obéit à qui le sert; l'esclave n'est pas toujours celui qui porte la chaîne.

—S'il vous faut une preuve, s'écria mon incorrigible Dalmate, écoutez ce que mon père m'a conté. J'ai toujours soupçonné que l'excellent homme était le héros de cette histoire.

—Encore un conte! repris-je avec impatience.

—Seigneur, me dit-il, c'est le dernier et le meilleur; nous voici en vue des bouches du Danube, demain nous nous quitterons pour ne plus nous revoir ici-bas. Écoutez donc avec patience une dernière leçon.

LE LANGAGE DES ANIMAUX

Il y avait une fois un berger qui depuis de longues années servait son maître avec autant de zèle que de fidélité. Un jour qu'il gardait ses moutons, il entendit un sifflement qui venait du bois; ne sachant pas ce que c'était, il entra dans la forêt, suivant le bruit pour en connaître la cause. En approchant, il vit que l'herbe sèche et les feuilles tombées avaient pris feu, et au milieu d'un cercle de flammes il aperçut un serpent qui sifflait. Le berger s'arrêta pour voir ce que ferait le serpent, car autour de l'animal tout était en flammes, et le feu approchait de plus en plus.

Dès que le serpent aperçut le berger, il lui cria: «Au nom de Dieu, berger, sauve-moi de ce feu!» Le berger lui tendit son bâton par-dessus la flamme; le serpent s'enroula autour du bâton et monta jusqu'à la main du berger; de la main il glissa jusqu'au cou et l'entoura comme un collier. Quand le berger vit cela, il eut peur et dit au serpent:

—Malheur à moi! t'ai-je donc sauvé pour ma perte?

L'animal lui répondit:

—Ne crains rien, mais reporte-moi chez mon père, le roi des serpents.

Le berger commença de s'excuser sur ce qu'il ne pouvait laisser ses moutons sans gardien; mais le serpent lui dit:

—Ne l'inquiète en rien de ton troupeau; il ne lui arrivera point de mal; va seulement aussi vite que tu pourras.

Le berger se mit à courir dans le bois avec le serpent au cou, jusqu'à ce qu'enfin il arriva à une porte qui était faite de couleuvres entrelacées. Le serpent siffla, aussitôt les couleuvres se séparèrent, puis il dit au berger:

—Quand nous serons au château, mon père t'offrira tout ce que tu peux désirer: argent, or, bijoux, et tout ce qu'il y a de précieux sur la terre; n'accepte rien de tout cela; demande-lui de comprendre le langage des animaux. Il te refusera longtemps cette faveur, mais à la fin il te l'accordera.

Tout en parlant, ils arrivèrent au château, et le père du serpent lui dit en pleurant:

—Au nom de Dieu, mon enfant, où étais-tu?

Le serpent lui raconta comment il avait été entouré par le feu, et comment le berger l'avait sauvé. Le roi des serpents se tourna alors vers le berger et lui dit:

—Que veux-tu que je te donne pour avoir sauvé mon enfant?

—Apprends-moi la langue des animaux, répondit le berger, je veux causer, comme toi, avec toute la terre.

Le roi lui dit:

—Cela ne vaut rien pour toi, car, si je te donnais d'entendre ce langage, et que tu en dises rien à personne, tu mourrais aussitôt; demande-moi quelque autre chose qui te serve davantage, je te la donnerai.

Mais le berger lui répondit:

—Si tu veux me payer, apprends-moi le langage des animaux, sinon, adieu et que le ciel te protège: je ne veux pas autre chose.

Et il fit mine de sortir. Alors le roi le rappela en disant:

—Arrête, et viens ici, puisque tu le veux absolument. Ouvre la bouche.

Le berger ouvrit la bouche, le roi des serpents y souffla, et lui dit:

—Maintenant souffle à ton tour dans la mienne.

Et quand le berger eut fait ce qu'on lui ordonnait, le roi des serpents lui souffla une seconde fois dans la bouche. Et, quand ils eurent ainsi soufflé chacun par trois fois, le roi lui dit:

—Maintenant tu entends la langue des animaux; que Dieu t'accompagne; mais, si tu tiens à la vie, garde-toi de jamais trahir ce secret, car, si tu en dis un mot à personne, tu mourras à l'instant.

Le berger s'en retourna. Comme il passait dans le bois, il entendit ce que disaient les oiseaux, et le gazon, et tout ce qui est sur la terre. En arrivant à son troupeau, il le trouva complet et en ordre; alors il se coucha par terre pour dormir. A peine était-il étendu, que voici deux corbeaux qui viennent se poser sur un arbre, et qui se mettent à dire dans leur langage:

—Si ce berger savait qu'à l'endroit où est cet agneau noir il y a sous la terre un caveau tout plein d'or et d'argent!

Aussitôt que le berger entendit cela, il alla trouver son maître, prit une voiture avec lui, et en creusant ils trouvèrent la porte du caveau, et ils emportèrent le trésor.

Le maître était un honnête homme, il laissa tout au berger en lui disant:

—Mon fils, ce trésor est à toi, car c'est Dieu qui te l'a donné.

Le berger prit le trésor, bâtit une maison, et, s'étant marié, il vécut joyeux et content: il fut bientôt le plus riche non seulement du village, mais des environs.

A dix lieues à la ronde, on n'en eût pas trouvé un second à lui comparer. Il avait des troupeaux de moutons, de boeufs, de chevaux, et chaque troupeau avait son pasteur; il avait, en outre, beaucoup de terres et de grandes richesses. Un jour, justement la veille de Noël, il dit à sa femme:

—Prépare le vin et l'eau-de-vie et tout ce qu'il faut; demain nous irons à la ferme, et nous porterons tout cela aux bergers pour qu'ils se divertissent.

La femme suivit cet ordre et prépara tout ce qu'on avait commandé. Le lendemain, quand ils furent à la ferme, le maître dit le soir aux bergers:

—Amis, rassemblez-vous, mangez, buvez, amusez-vous: je veillerai cette nuit pour garder les troupeaux à votre place.

Il fit comme il avait dit, et garda les troupeaux. Quand vint minuit, les loups se mirent à hurler et les chiens à aboyer; les loups disaient dans leur langue:

—Laissez-nous venir et faire un dommage; il y aura de la viande pour vous.

Et les chiens répondaient dans leur langue:

—Venez, nous voulons nous rassasier une bonne fois.

Mais parmi ces chiens il y avait un vieux dogue qui n'avait plus que deux crocs dans la gueule, celui-là disait aux loups:

—Tant qu'il me restera mes deux crocs dans la gueule, vous ne ferez pas de tort à mon maître.

Le père de famille avait entendu et compris tous ces discours. Quand vint le matin, il ordonna de tuer tous les chiens et de ne laisser en vie que le vieux dogue. Les valets étonnés disaient:

—Maître, c'est grand dommage.

Mais le père de famille répondait:

—Faites ce que je dis.

Il se disposa à retourner chez lui avec sa femme, et tous deux se mirent en route; le mari monté sur un beau cheval gris, la femme assise sur une haquenée qu'elle couvrait tout entière des longs plis de sa robe. Pendant qu'ils marchaient, il arriva que le mari prit de l'avance, et que la femme resta en arrière. Le cheval se retourna et dit à la jument:

—En avant! plus vite! pourquoi ralentir?

La haquenée lui répondit:

—Oui, cela t'est facile, toi qui ne portes que le maître; mais, moi, avec ma maîtresse, je porte des colliers, des bracelets, des jupes et des jupons, des clefs et des sacs à n'en plus finir. Il faudrait quatre boeufs pour traîner tout cet attirail de femme.

Le mari se retourna en riant; la femme, en ayant fait la remarque, poussa la jument et, après avoir rejoint son époux, lui demanda pourquoi il avait ri.

—Mais pour rien; une folie qui m'a passé par l'esprit.

La femme ne trouva pas la réponse bonne, elle pressa son mari pour lui dire pourquoi il avait ri. Mais il résista, et lui dit:

—Laisse-moi en paix, femme; qu'est-ce que cela te fait? Bon Dieu! je ne sais pas moi-même pourquoi j'ai ri.

Plus il se défendait, plus elle insistait pour connaître la cause de sa gaieté. A la fin, il lui dit:

—Sache donc que, si je révélais ce qui m'a fait rire, je mourrais à l'instant même.

Mais cela n'arrêta pas la dame; plus que jamais elle tourmenta son mari pour qu'il parlât.

Il arrivèrent à la maison. En descendant de cheval, le mari commanda qu'on lui fît une bière; quand elle fut prête, il la mit devant la maison et dit à sa femme:

—Vois, je vais entrer dans cette bière, je te dirai alors ce qui m'a fait rire; mais aussitôt que j'aurai parlé, je serai un homme mort.

Et alors il se mit dans la bière, et, comme il regardait une dernière fois autour de lui, voici le vieux chien de la ferme qui s'approche de son maître et qui pleure. Quand le pauvre homme vit cela, il appela sa femme et lui dit:

—Apporte un morceau de pain et donne-le au chien.

La femme jeta un morceau de pain au chien, qui ne le regarda même pas. Et voici le coq de la maison qui accourt et qui pique le pain, et le chien lui dit:

—Misérable gourmand, peux-tu manger quand tu vois que le maître va mourir!

Et le coq lui répondit:

—Qu'il meure, puisqu'il est assez sot pour cela. J'ai cent femmes; je les appelle toutes quand je trouve le moindre grain, et aussitôt qu'elles arrivent, c'est moi qui le mange; s'il y en avait une qui s'avisât de le trouver mauvais, je la corrigerais avec mon bec; et lui, qui n'a qu'une femme, il n'a pas l'esprit de la mettre à la raison!

Sitôt que le mari entend cela, il saute à bas de la bière, il prend un bâton et appelle sa femme dans la chambre:

—Viens, je le dirai ce que tu as si grande envie de savoir.

Et alors il la raisonne à coups de bâton en disant:

—Voilà, ma femme, voilà!

C'est de cette façon qu'il lui répondit, et jamais, depuis, la dame n'a demandé à son époux pourquoi il avait ri.

CONCLUSION

Telle fut la dernière histoire du Dalmate; ce fut aussi la dernière de celles que, ce jour-là, me conta le capitaine. Le lendemain, il y en eut d'autres, et d'autres encore le surlendemain. Le marin avait raison, sa bibliothèque était inépuisable, sa mémoire ne se troublait jamais, sa parole ne s'arrêtait pas; mais à toujours conter on ennuie le lecteur, d'ailleurs il faut garder quelque chose pour l'année prochaine. Peut-être alors, retrouverons-nous le capitaine, et demanderons-nous des leçons à sa douce sagesse.

En attendant, chers lecteurs, je me sépare de vous avec les adieux que m'adressait chaque jour l'excellent marin: «Mon ami, sois sage, obéis à ta mère, fais bien tes devoirs, afin que demain on te permette d'entendre mes contes; le plaisir n'est bon qu'après la peine: celui-là seul s'amuse qui a bien travaillé. Et maintenant, ajoutait-il en me prenant la main, je te recommande à Dieu.»

Adieu donc, amis lecteurs, comme disent nos vieux livres, adieu, amies lectrices; puisse la sagesse du capitaine Jean vous profiter assez pour rendre chacun de vous aussi bon et aussi laborieux que son père; aussi doux et aussi aimable que sa mère; c'est le dernier voeu de votre vieil ami.

LE CHATEAU DE LA VIE

I

Il y a quelques années que, me trouvant à Capri, la plus charmante des îles du golfe de Naples, par une de ces belles journées d'automne, qui sont pleines de calme et de lumière, j'eus le désir de me rendre en bateau à Paestum, en m'arrêtant à Amalfi et à Salerne. La chose était aisée; il y avait sur la plage des pêcheurs qui retournaient à terre et ne demandaient pas mieux que de prendre avec eux l'étranger. En entrant dans la barque, j'y trouvai quatre marins de bonne mine, bras nerveux, visages bronzés par le soleil, et au milieu d'eux une petite fille de huit ou dix ans, à la taille forte et cambrée, à la figure colorée, aux yeux noirs et vifs, qui tour à tour commandait ou priait l'équipage avec la majesté d'une Italienne ou la grâce d'un enfant. C'était la fille du patron; je n'en pus douter au fier sourire avec lequel il me la montra quand j'entrai dans le bateau. Une fois en mer, et chacun à la rame, comme je me trouvais seul à ne rien faire dans la barque, je pris l'enfant sur mes genoux pour causer avec elle et entendre de ses lèvres mignonnes ce patois napolitain qui sonne si doucement à l'oreille.

—Parlez-lui, Excellence, me cria le patron d'un air triomphant; ne craignez pas non plus d'écouter la *marchesina*; si petite qu'elle soit, elle est déjà savante comme un chanoine. Quand vous voudrez, elle vous dira l'histoire du roi de Starza Longa, qui marie sa fille à un serpent, ou celle de Vardiello, à qui sa sottise procure la fortune. Aimez-vous mieux la Biche enchantée, ou l'Ogre qui donne à Antuono de Maregliano le bâton qui fait son devoir, ou le Château de la Vie…?

—Va pour le Château de la Vie! m'écriai-je, afin d'interrompre un défilé de contes aussi nombreux que les grains d'un chapelet.

—Nunziata, mon enfant, dit le pêcheur d'un ton solennel, conte à Son Excellence l'histoire du Château de la Vie, telle que ta mère te l'a récitée tant de fois; et vous, ajouta-t-il en s'adressant aux rameurs, tâchez de ne pas trop battre l'eau, afin que nous puissions entendre.

C'est ainsi que, durant plus d'une heure, tandis que la barque glissait sans bruit sur l'onde immobile, et qu'un doux soleil d'octobre empourprait les montagnes et faisait scintiller la mer, tous les cinq, attentifs et silencieux, nous écoutions l'enfant qui nous parlait de féerie, au milieu d'une nature enchantée.

II

LE CHATEAU DE LA VIE

Il y avait une fois, commença gravement Nunziata, il y avait une fois à Salerne une bonne vieille, pêcheuse de profession, qui n'avait pour tout bien et pour tout appui qu'un garçon de douze ans, son petit-fils, pauvre orphelin dont le père avait été noyé dans un jour d'orage, et dont la mère était morte de chagrin. Gracieux, c'était le nom de l'enfant, n'aimait au monde que sa grand'mère: il la suivait tous les matins avant l'aube pour ramasser les coquillages, ou pour tirer le filet à la rive, en attendant qu'il fût assez fort pour aller lui-même à la pêche, et braver ces flots qui lui avaient tué tous les siens. Il était si beau, si bien fait, si avenant que, dès qu'il entrait dans la ville, avec sa corbeille de poissons sur la tête, chacun courait après lui; il avait vendu sa part avant même que d'arriver au marché.

Par malheur la grand'mère était bien vieille; elle n'avait plus qu'une dent au milieu de la bouche, sa tête branlait, ses yeux étaient si rouges, qu'elle n'y voyait plus. Chaque matin elle avait plus de peine à se lever que la veille, elle sentait qu'elle n'irait pas loin. Aussi, tous les soirs, avant que Gracieux s'enveloppât dans sa couverture pour dormir à terre, elle lui donnait de bons conseils pour le jour où il serait seul; elle lui disait quels pêcheurs il fallait voir et quels il fallait éviter; comment, en étant toujours doux et laborieux, prudent et résolu, il ferait son chemin dans le monde, et finirait par avoir à lui sa barque et ses filets; le pauvre garçon n'écoutait guère toute cette sagesse; dès que la vieille commençait à prendre le ton sérieux:

—Mère-grand, s'écriait l'enfant, mère-grand, ne me quitte pas. J'ai des bras, je suis fort, bientôt je pourrai travailler pour deux; mais si, en revenant de la mer, je ne te retrouve pas à la maison, comment veux-tu que je vive?

Et il l'embrassait en pleurant.

—Mon enfant, lui dit un jour la vieille, je ne te laisserai pas aussi seul que tu crains; après moi, tu auras deux protectrices que plus d'un prince t'envierait. Il y a déjà longtemps que j'ai obligé deux grandes dames qui ne t'oublieront pas quand l'heure sera venue de les appeler, et ce sera bientôt.

—Quelles sont ces deux dames? demanda Gracieux, qui n'avait jamais vu dans la cabane que des femmes de pêcheurs.

—Ce sont deux fées, répondit la grand'mère, deux grandes fées: la fée des eaux et la fée des bois. Écoute-moi bien, mon enfant; c'est un secret qu'il faut que je te confie, un secret que tu garderas comme je l'ai fait, et qui te donnera la fortune et le bonheur. Il y a dix ans, l'année même où mourut ton père, où ta mère aussi nous laissa, j'étais sortie avant le point du jour, pour surprendre les crabes endormis dans le sable; j'étais penchée à terre et cachée par un rocher, quand je vis un alcyon qui voguait doucement vers la plage. C'est un oiseau sacré qu'il faut toujours ménager; je le laissai donc aborder et ne remuai pas, de crainte de l'effaroucher. En même temps, d'une fente de la montagne je vis sortir et ramper sur le sable une belle couleuvre verte qui allongeait ses grands anneaux pour approcher de l'oiseau. Quand ils furent près l'un de l'autre, sans qu'aucun d'eux parut surpris de la rencontre, la couleuvre s'enroula autour du cou de l'alcyon, comme si elle l'eût embrassé tendrement; ils restèrent ainsi enlacés quelques minutes; puis ils se séparèrent brusquement, le serpent pour rentrer dans la pierre, l'oiseau pour se plonger dans la vague, qui l'emporta.

«Fort étonnée de ce que j'avais vu, je revins le lendemain à la même heure, et à la même heure aussi l'alcyon arriva sur le sable, la couleuvre sortit de sa retraite. C'étaient des fées, il n'était pas permis d'en douter, peut-être des fées enchantées à qui je pouvais rendre service. Mais que faire? Me montrer, c'était leur déplaire et m'exposer beaucoup; il valait mieux attendre une occasion favorable que le hasard amènerait sans doute. Pendant un mois je me tins en embuscade, assistant tous les matins au même spectacle, quand un jour j'aperçus un gros chat noir qui arrivait le premier au rendez-vous, et qui se cachait derrière le rocher, presque sous ma main. Un chat noir ne pouvait être qu'un enchanteur, d'après ce qu'on m'avait appris dans ma jeunesse: je me promis de le surveiller. Et, en effet, à peine l'alcyon et la couleuvre s'étaient-ils embrassés, que voici le chat qui se ramasse, se gonfle et s'élance sur ces innocents. Ce fut mon tour de me jeter sur le brigand, qui tenait déjà ses victimes entre ses griffes meurtrières; je le saisis malgré toutes ses convulsions, quoiqu'il me mit les mains en sang, et là, sans pitié, sachant à qui j'avais affaire, je pris le couteau qui me servait à ouvrir les châtaignes de mer, et je coupai au monstre la tête, les pattes et la queue, attendant avec confiance le succès de mon dévouement.

«Je n'attendis pas longtemps; dès que j'eus jeté à la mer le corps de la bête, je vis devant moi deux belles dames, l'une toute couronnée de plumes blanches, l'autre qui avait pour écharpe une peau de serpent; c'étaient, je te l'ai déjà dit, la fée des eaux et la fée des bois. Enchantées par un misérable génie qui avait surpris leur secret, il leur fallait rester alcyon et couleuvre jusqu'à ce qu'une main généreuse les affranchit; c'est à moi qu'elles devaient la liberté et la puissance.

«Demande-nous ce que tu voudras, me dirent-elles, tes voeux seront exaucés.»

«Je réfléchis que j'étais vieille et que j'avais assez souffert de la vie pour ne pas la recommencer, tandis que toi, mon enfant, un jour viendrait où rien ne serait trop beau pour ton désir, où tu voudrais être riche, noble, général, marquis, prince peut-être. «Ce jour-là, me dis-je, je pourrai tout lui donner, un seul moment d'un pareil bonheur me payera quatre-vingts ans de peine et de misère.» Je remerciai donc les fées et les priai de me garder leur bon vouloir pour l'heure où j'en aurais besoin. La fée des eaux ôta une petite plume de sa couronne; la fée des bois détacha une écaille de la peau du serpent.

«Bonne femme, me dirent-elles, quand tu voudras de nous, place cette plume et cette écaille dans un vase d'eau pure, en même temps appelle-nous en formant un voeu; fussions-nous au bout du monde, en un instant tu nous verras devant toi, prêtes à payer la dette d'aujourd'hui.»

«Je baissai la tête en signe de reconnaissance; quand je la relevai, tout avait disparu; même il n'y avait plus ni blessures ni sang à mes bras; j'aurais cru qu'un rêve m'avait trompée, si je n'avais eu dans la main l'écaille de la couleuvre et la plume de l'alcyon.

—Et ces trésors, dit Gracieux, où sont-ils, grand'-mère?

—Mon enfant, répondit la vieille, je les ai cachés avec soin, ne voulant te les montrer que le jour où tu serais un homme et en état de t'en servir; mais, puisque la mort va nous séparer, le moment est venu de te remettre ces précieux talismans. Tu trouveras au fond de la huche un coffret de bois caché sous des chiffons; dans ce coffret est une petite boîte de carton enveloppée d'étoupe; ouvre cette boîte, tu trouveras l'écaille et la plume soigneusement entourées de coton. Garde-toi de les briser, prends-les avec respect, je te dirai ce qui te reste à faire.»

Gracieux apporta la boîte à la pauvre femme, qui ne pouvait plus quitter son grabat; ce fut elle-même qui prit les deux objets.

—Maintenant, dit-elle à son fils en les lui remettant, place au milieu de la chambre une assiette pleine d'eau; au milieu de l'eau, dépose l'écaille et la plume, puis forme un voeu; demande la fortune, la noblesse, l'esprit, la puissance, tout ce que tu voudras, mon fils; seulement, comme je sens que je meurs, embrasse-moi, mon enfant, avant d'exprimer ce voeu qui nous séparera pour jamais, et reçois une dernière fois ma bénédiction. Ce sera un talisman de plus pour te porter bonheur.

Mais, à la surprise de la vieille, Gracieux ne vint ni l'embrasser ni lui demander sa bénédiction; il mit bien vite l'assiette pleine d'eau au milieu de la chambre, jeta la plume et l'écaille au milieu de l'assiette, et cria du fond du coeur: «Je veux que mère-grand vive toujours: parais, fée des eaux; je veux que mère-grand vive toujours: parais, fée des bois!»

Et alors voilà l'eau qui bouillonne, bouillonne, l'assiette devient un grand bassin que les murs de la chaumière ont peine à contenir, et du fond du bassin Gracieux voit sortir deux belles jeunes femmes, qu'à leur baguette il reconnut de suite pour des fées. L'une avait une couronne de feuilles de houx mêlées de grains rouges, avec des pendants d'oreilles en diamants qui ressemblaient à des glands dans leur coupe; elle était vêtue d'une robe verte comme la feuille d'olive, et par-dessus elle avait une peau tigrée qui se nouait en écharpe sur l'épaule droite: c'était la fée des bois. Quant à la fée des eaux, elle avait une coiffure de roseaux, avec une robe blanche toute bordée de plumes de grèbes, et une écharpe bleue qui par moments se relevait sur sa tête et se gonflait comme la voile d'un navire. Si grandes dames qu'elles fussent, toutes deux regardèrent en souriant Gracieux, qui s'était réfugié dans les bras de sa grand'mère, et qui tremblait de peur et d'admiration.

[Illustration: Du fond du bassin Gracieux vit sortir deux belles jeunes femmes, qu'à leur baguette il reconnut pour des fées.]

«Nous voici, mon enfant, dit la fée des eaux, qui prit la parole comme la plus âgée; nous avons entendu ce que tu disais; le voeu que tu as formé te fait honneur; mais, si nous pouvons t'aider dans le projet que tu as conçu, toi seul tu peux l'exécuter. Nous pouvons bien prolonger de quelque temps l'existence de ta grand'mère; mais, pour qu'elle vive toujours, il te faut aller au Château de la Vie, à quatre grandes journées d'ici, du côté de la Sicile. Là se trouve la fontaine d'immortalité. Si tu peux accomplir chacune de ces quatre journées sans te détourner de ton chemin, si, arrivé au château, tu peux répondre aux trois questions que t'adressera une voix invisible, tu trouveras là-bas ce que tu désires; mais, mon enfant, réfléchis bien avant de prendre ce parti, car il y a plus d'un danger sur la route. Si une seule fois tu manques d'atteindre le but de ta journée, non seulement tu n'obtiendras pas ce que tu souhaites, mais tu ne sortiras jamais de ce pays, d'où nul n'est revenu.

—Je pars, Madame, répondit Gracieux.

—Mais, dit la fée des bois, tu es bien jeune, mon enfant, et tu ne connais pas même le chemin.

—N'importe! reprit Gracieux; vous ne m'abandonnerez pas, belles dames, et, pour sauver ma grand'mère, j'irais au bout du monde.

—Attends, dit la fée des bois; et, détachant le plomb d'une vitre brisée, elle le mit dans le creux de sa main.

Et voici le plomb qui se met à fondre et à bouillir sans que la fée paraisse incommodée de la chaleur, puis elle jette sur le foyer le métal, qui s'y fige en mille formes variées.

—Que vois-tu dans tout cela? dit la fée à Gracieux.

—Madame, répondit-il, après avoir regardé avec attention, il me semble que j'aperçois un chien épagneul avec une grande queue et de grandes oreilles.

—Appelle-le, dit la fée?

Aussitôt voilà qu'on entend aboyer, et que du milieu du métal sort un chien noir et couleur de feu, qui se met à gambader et à sauter autour de Gracieux.

—Ce sera ton compagnon, dit la fée; tu le nommeras Fidèle; il te montrera la route, mais je te préviens que c'est à toi de le conduire, et non pas à lui de te mener. Si tu le fais obéir, il te servira; si tu lui obéis, il te perdra.

—Et moi, dit la fée des eaux, ne te donnerai-je rien, mon pauvre Gracieux?

Et, regardant autour d'elle, la dame vit à terre un morceau de papier que de son pied mignon elle poussa dans le foyer. Le papier prit feu; quand la flamme fut passée, on vit des milliers de petites étincelles qui couraient l'une après l'autre, comme des nonnes qui à la nuit de Noël se rendent à la chapelle, ayant chacune un cierge en main. La fée suivit d'un oeil curieux toutes ces étincelles; quand la dernière fut près de s'éteindre, elle souffla sur le papier; soudain on entendit un petit cri d'oiseau; une hirondelle sortit tout effrayée, alla se heurter à tous les coins de la chambre et finit par s'abattre sur l'épaule de Gracieux.

—Ce sera ta compagne, dit la fée des eaux, tu la nommeras Pensive; elle te montrera la route, mais je te préviens que c'est à toi de la conduire, et non pas à elle de te mener. Si tu la fais obéir, elle te servira; si tu lui obéis, elle te perdra.

—Remue cette cendre noire, ajouta la bonne fée des eaux, peut-être y trouveras-tu quelque chose.

Gracieux obéit; sous la cendre du papier, il prit un flacon de cristal de roche qui brillait comme du diamant; c'est là-dedans, lui dit la fée, qu'il devait recueillir l'eau d'immortalité: elle eût brisé tout vase fait de la main des hommes. A côté du flacon, Gracieux trouva un poignard à lame triangulaire. C'était bien autre chose que le stylet de son père le pêcheur auquel on lui défendait de toucher; avec cette arme on pouvait braver le plus fier ennemi.

—Ma soeur, vous ne serez pas plus généreuse que moi, dit l'autre fée; et, prenant une paille de la seule chaise qu'il y eut dans la maison, elle souffla dessus. La paille se gonfla aussitôt, et, en moins de temps qu'il n'en faut pour le dire, forma une carabine admirable, tout incrustée de nacre et d'or; une seconde paille donna une cartouchière que Gracieux se mit autour du corps et qui lui allait à merveille: on eût dit d'un prince qui partait en chasse. Il était si beau que sa grand'mère en pleurait de joie et d'attendrissement.

Les deux fées disparues, Gracieux embrassa la bonne vieille, en lui recommandant bien de l'attendre, et il se mit à deux genoux pour lui demander sa bénédiction. L'aïeule lui fit un beau sermon pour lui recommander d'être patient, juste, charitable, et surtout de ne jamais s'écarter du droit chemin, «non pas pour moi, ajouta la vieille, qui accepte la mort de grand coeur, et qui regrette le voeu que tu as formé, mais pour toi, mon enfant, pour que tu reviennes; je ne veux pas mourir sans que tu me fermes les jeux».

Il était tard; Gracieux se coucha par terre, trop agité, à ce qu'il croyait, pour s'assoupir. Mais le sommeil l'eût bientôt surpris; il dormit toute la nuit, tandis que la pauvre grand'mère regardait la figure de son cher enfant éclairée par la lueur vacillante de la lampe, et ne pouvait se lasser de l'admirer en soupirant.

III

De grand matin, quand l'aube pointait à peine, l'hirondelle se mit à gazouiller et Fidèle à tirer la couverture: «Partons, maître, partons, disaient les deux compagnons dans leur langage que Gracieux entendait par le don des fées; déjà la mer blanchit à la plage, l'oiseau chante, la mouche bourdonne, la fleur s'ouvre au soleil; partons, il est temps.»

Gracieux embrassa une dernière fois sa vieille amie et prit le chemin qui mène à Paestum; Pensive voltigeait de droite et de gauche en chassant les moucherons; Fidèle caressait son jeune maître ou courait devant lui.

Ils n'étaient pas encore à deux lieues de la ville, que Gracieux vit Fidèle qui causait avec les fourmis. Elles marchaient en bandes régulières, traînant avec elles toutes leurs provisions.

—Où allez-vous? leur demanda Gracieux; et elles répondirent:

—Au Château de la Vie.

Un peu plus loin, Pensive rencontra les cigales, qui s'étaient mises aussi en voyage, avec les abeilles et les papillons; tous allaient au Château de la Vie, pour boire à la fontaine d'immortalité. On marcha de compagnie, comme gens qui suivent la même route. Pensive présenta à Gracieux un jeune papillon qui bavardait avec agrément. L'amitié vient vite dans la jeunesse; au bout d'une heure, les doux compagnons étaient inséparables.

Aller tout droit n'est pas le goût des papillons; aussi l'ami de Gracieux se perdait-il sans cesse au milieu des herbes; Gracieux, qui de sa vie n'avait été libre, et qui n'avait jamais vu tant de fleurs ni tant de soleil, suivait tous les zigzags du papillon, il ne s'inquiétait pas plus de la journée que si elle ne devait jamais finir. Mais au bout de quelques lieues son nouvel ami se sentit fatigué.

—N'allons pas plus loin, disait-il à Gracieux; vois comme cette nature est belle; que ces fleurs sentent bon! comme ces champs embaument! restons ici; c'est ici qu'est la vie.

—Marchons, disait Fidèle, la journée est longue et nous ne sommes qu'au début.

—Marchons, disait Pensive, le ciel est pur, l'horizon infini; allons toujours en avant.

Gracieux, rentré en lui-même, fit de sages raisonnements au papillon qui voltigeait toujours de droite et de gauche, ce fut en vain.

—Que m'importe? disait l'insecte; hier j'étais chenille, ce soir je ne serai rien, je veux jouir aujourd'hui. Et il s'abattit sur une rose de Paestum toute grande ouverte.

Le parfum était si fort que le pauvre papillon en fut asphyxié; Gracieux essaya en vain de le rappeler à la vie, et, après l'avoir pleuré, il le mit avec une épingle à son chapeau comme une cocarde.

Vers midi, ce fut le tour des cigales de s'arrêter.

—Chantons, disaient-elles; la chaleur va nous accabler, si nous luttons contre la force du jour. Il est si bon de vivre dans un doux repos! Viens, Gracieux, nous t'égayerons, et tu chanteras avec nous.

—Écoutons-les, disait Pensive, elles chantent si bien!

Mais Fidèle ne voulait pas s'arrêter; il avait du feu dans les veines, il jappa tant et tant, que Gracieux oublia les cigales pour courir après l'importun.

Le soir venu, Gracieux rencontra la mouche à miel toute chargée de butin.

—Où vas-tu? lui dit-il.

—Je retourne chez moi, répondit l'abeille, et ne veux pas quitter ma ruche.

—Eh quoi! reprit Gracieux, laborieuse comme tu es, vas-tu faire comme la cigale et renoncer à ta part d'immortalité?

—Ton Château est trop loin, répondit l'abeille, je n'ai pas ton ambition. Mon oeuvre de chaque jour me suffit, je ne comprends rien à tes voyages; pour moi, le travail, c'est la vie.

Gracieux fut un peu ému d'avoir perdu dès le premier jour tant de compagnons de route; mais, en pensant avec quelle facilité il avait fourni la première étape, son coeur fut plein de joie; il caressa Fidèle, attrapa des mouches que Pensive lui prenait dans la main, et s'endormit plein d'espoir en rêvant à sa grand'mère et aux deux fées.

IV

Le lendemain, dès l'aurore, Pensive avertit son jeune maître.

—Partons, disait-elle. Déjà la mer blanchit à la plage, l'oiseau chante, la mouche bourdonne, la fleur s'ouvre au soleil; partons, il est temps.

—Un moment, répondait Fidèle; la journée n'est pas longue; avant midi nous verrons les temples de Paestum, où nous devons nous arrêter ce soir.

—Les fourmis sont déjà en route, reprenait Pensive: le chemin est plus difficile qu'hier et le temps plus lourd; partons.

Gracieux avait vu en songe sa grand'mère qui lui souriait; aussi se mit-il en marche avec une ardeur plus vive que la veille. Le jour était splendide: à droite, la mer qui poussait doucement ses vagues bleuâtres et les déroulait sur le sable en murmurant; à gauche, dans le lointain, des montagnes bordées d'une teinte rosée; dans la plaine, de grandes herbes toutes parsemées de fleurs, un chemin planté d'aloès, de jujubiers et d'acanthes; en face, un horizon sans nuages. Gracieux, ravi de plaisir et d'espérance, se croyait déjà au but du voyage. Fidèle bondissait au milieu des champs et mettait en fuite les perdrix effrayées; Pensive se perdait dans le ciel et jouait avec la lumière. Tout à coup, au milieu des roseaux, Gracieux aperçut une belle chevrette qui le regardait avec des yeux languissants, comme si elle l'appelait. L'enfant s'approcha; la chevrette bondit, mais sans s'éloigner de beaucoup. Trois fois elle recommença le même manège, comme si elle agaçait Gracieux.

—Suivons-la, dit Fidèle; je lui couperai le chemin, nous l'aurons bientôt prise.

—Où est Pensive? dit l'enfant.

—Qu'importe, maître? reprit Fidèle; c'est l'affaire d'un instant.
Fiez-vous à moi, je suis né pour la chasse; la chevrette est à nous.

Gracieux ne se le fit pas dire deux fois; tandis que Fidèle faisait un détour, il courut après la chevrette, qui s'arrêtait entre les arbres, comme pour se laisser prendre, et bondissait dès que la main du chasseur l'effleurait. «Courage, maître!» cria Fidèle en débusquant; mais d'un coup de tête chevrette lança le chien en l'air et s'enfuit plus vite que le vent.

Gracieux s'élança à sa poursuite; Fidèle, les yeux et la gueule enflammés, courait et jappait comme un furieux; ils franchissaient fossés, sillons, branchages, sans que rien arrêtât leur audace. La chevrette fatiguée perdait du terrain; Gracieux redoublait d'ardeur, déjà il étendait la main pour saisir sa proie, quand tout à coup, le sol lui manquant sous les pieds, il roula avec son imprudent compagnon dans un piège qu'on avait couvert de feuillages.

Il n'était pas remis de sa chute, que la chevrette s'approchant du bord leur cria:

—Vous êtes trahis; je suis la femme du roi des loups qui vous mangera tous les deux.

Disant cela, elle disparut.

—Maître, dit Fidèle, la fée avait raison en vous recommandant de ne pas me suivre; nous avons fait une sottise, c'est moi qui vous ai perdu.

—Au moins, dit Gracieux, nous défendrons notre vie.

Et, prenant sa carabine, il y mit double charge pour attendre le roi des loups.

Plus calme alors, il regarda la fosse profonde où il était tombé; elle était trop haute pour qu'il en pût sortir, c'est dans ce trou qu'il lui fallait recevoir la mort. Fidèle comprit les regards de son ami.

—Maître, dit-il, si vous me preniez dans vos bras et si vous me lanciez de toutes vos forces, peut-être arriverais-je au bord; une fois dehors je vous aiderais.

Gracieux n'avait pas grand espoir. Trois fois il essaya de pousser Fidèle, trois fois le pauvre animal retomba; enfin, au quatrième effort, le chien attrapa quelques racines, et s'aida si bien de la gueule et des pattes, qu'il sortit de ce tombeau. Aussitôt il poussa dans la fosse des branches coupées qui se trouvaient au bord:

—Maître, dit-il, fichez ces branches dans la terre et faites-vous une échelle. Pressez-vous, pressez-vous, ajouta-t-il, j'entends les hurlements du roi des loups.

Gracieux était adroit et agile. La colère doubla ses forces; en moins d'un instant il fut dehors. Là, il assura son poignard dans sa ceinture, changea la capsule de sa carabine, et, se plaçant derrière un arbre, il attendit de pied ferme l'ennemi.

Soudain il entendit un cri effroyable: une bête horrible, avec des crocs grands comme les défenses d'un sanglier, accourait sur lui par bonds énormes; Gracieux l'ajusta d'une main émue, et tira. Le coup avait porté, l'animal tourna sur lui-même en hurlant; mais aussitôt il reprit son élan, «Rechargez votre carabine, pressez-vous, maître», cria Fidèle, qui se jeta courageusement à la face du monstre, et le prit au cou à belles dents.

Le loup n'eut qu'à secouer la tête pour jeter à terre le pauvre chien, il l'eût avalé d'une bouchée, si Fidèle ne lui eût glissé dans la gueule en y laissant une oreille. Ce fut le tour de Gracieux de sauver son compagnon; il s'avança hardiment et tira son second coup, en visant à l'épaule. Le loup tomba; mais, se relevant par un effort suprême, il se jeta sur le chasseur, qu'il renversa sous lui. En recevant ce choc terrible, Gracieux se crut perdu; mais, sans perdre courage, et appelant les bonnes fées à son aide, il prit son poignard et l'enfonça dans le coeur de l'animal, qui, prêt à dévorer son ennemi, tout à coup tendit les membres et mourut.

Couvert de sang et d'écume, Gracieux se releva tout tremblant et s'assit sur un arbre renversé. Fidèle se traîna près de lui sans oser le caresser, car il sentait combien il était coupable.

—Maître, disait-il, qu'allons-nous devenir? La nuit approche, et nous sommes si loin de Paestum!

—Il faut partir, s'écria l'enfant; et il se leva; mais il était si faible qu'il fut obligé de se rasseoir.

Une soif brûlante le dévorait; il avait la fièvre, tout tournait autour de lui. Alors, songeant à sa grand'mère, il se mit à pleurer. Avoir oublié sitôt de si belles promesses et mourir dans ce pays d'où l'on ne revient pas, tout cela pour les beaux yeux d'une chevrette: quels remords avait le pauvre Gracieux! Comme elle finissait tristement, cette journée si bien commencée!

Bientôt on entendit des hurlements sinistres; c'étaient les frères du roi des loups qui l'appelaient et qui accouraient à son secours. Gracieux embrassa Fidèle, c'était son seul ami; il lui pardonna une imprudence qu'ils allaient tous deux payer de la vie; puis il coula un lingot dans sa carabine, fit sa prière aux bonnes fées, leur recommanda sa grand'mère et se disposa à mourir.

—Gracieux! Gracieux! où êtes-vous? cria une petite voix qui ne pouvait être que celle de Pensive.

Et l'hirondelle vint, en voltigeant, se poser sur la tête de son maître.

—Du courage! disait-elle; les loups sont encore loin. Il y a tout près d'ici une source pour étancher votre soif et arrêter le sang de vos blessures, et j'ai vu dans les herbes un sentier caché qui peut nous conduire à Paestum.

Gracieux et Fidèle se traînèrent jusqu'au ruisseau, tremblants de crainte et d'espérance; puis ils s'engagèrent dans le chemin couvert, un peu ranimés par le doux gazouillement de Pensive. Le soleil était couché; on marcha dans l'ombre pendant quelques heures, et, quand la lune se leva, on était hors de danger. Restait une route pénible et dangereuse pour qui n'avait plus l'ardeur du matin: des marais à traverser, des fossés à franchir, des fourrés où l'on se déchirait la figure et les mains; mais, en songeant qu'il pouvait réparer sa faute et sauver sa grand'mère. Gracieux avait le coeur si léger, qu'à chaque pas ses forces redoublaient avec son espoir. Enfin, après mille fatigues, on arriva à Paestum comme les étoiles allaient marquer minuit.

Gracieux se jeta sur une dalle du temple de Neptune, et, après avoir remercié Pensive, il s'endormit ayant à ses pieds Fidèle, meurtri, sanglant et silencieux.

V

Le sommeil ne fut pas long; Gracieux était debout avant le jour, qui se faisait attendre. En descendant les marches du temple, il vit les fourmis qui avaient élevé un monceau de sable, et qui y enterraient les grains de la moisson nouvelle. Toute la république était en mouvement. Chaque fourmi allait, venait, parlait à sa voisine, recevait ou donnait des ordres; on traînait des brins de paille, on voiturait de petits morceaux de bois, on emportait des mouches mortes, on entassait des provisions: c'était tout un établissement pour l'hiver.

—Eh quoi! dit Gracieux aux fourmis, n'allez-vous plus au Château de la Vie? Renoncez-vous à l'immortalité?

—Nous avons assez travaillé, lui répondit une des ouvrières; le jour de la récolte est venu. La route est longue, l'avenir incertain, et nous sommes riches. C'est aux fous à compter sur le lendemain, le sage use de l'heure présente; quand on a honnêtement amassé, la vraie philosophie, c'est de jouir.

Fidèle trouva que la fourmi avait raison; mais, comme il n'osait plus donner de conseils, il se contenta de secouer la tête en partant; Pensive, au contraire, dit que la fourmi n'était qu'une égoïste; s'il n'y avait qu'à jouir dans la vie, le papillon était plus sage qu'elle. En même temps, et plus vive que jamais, Pensive s'envola à tire-d'aile pour éclairer le chemin.

Gracieux marchait en silence. Honteux des folies de la veille, quoiqu'il regrettât un peu la chevrette, il se promettait que, le troisième jour, rien ne le détournerait de sa route. Fidèle, l'oreille déchirée, suivait en boitant son jeune maître, et ne semblait pas moins rêveur que lui. Vers midi on chercha un lieu favorable pour s'arrêter quelques instants. Le temps était moins brûlant que la veille, il semblait qu'on eût changé de pays et de saison. La route traversait des prés récemment fauchés pour la seconde fois, ou de beaux vignobles chargés de raisin; elle était bordée de grands figuiers tout couverts de fruits où bourdonnaient des milliers d'insectes; il y avait à l'horizon des vapeurs dorées, l'air était doux et tiède; tout invitait au repos.

Dans la plus belle des prairies, auprès d'un ruisseau qui répandait au loin la fraîcheur, à l'ombre des platanes et des frênes, Gracieux aperçut un troupeau de buffles qui ruminaient. Mollement couchés à terre, ils faisaient cercle autour d'un vieux taureau qui semblait leur chef et leur roi. Gracieux s'en approcha civilement et fut reçu avec politesse. D'un signe de tête on l'invita à s'asseoir, on lui montra de grandes jattes pleines de fromages et de lait. Notre voyageur admirait le calme et la gravité de ces paisibles et puissants animaux. On eût dit autant de sénateurs romains sur leurs chaises curules. L'anneau d'or qu'ils portaient au nez ajoutait encore à la majesté de leur aspect. Gracieux, qui se sentait plus calme et plus rassis que la veille, songeait malgré lui qu'il serait bon de vivre au sein de cette paix et de cette abondance; si le bonheur était quelque part, c'était là sans doute qu'il fallait le chercher.

Fidèle partageait l'avis de son maître. On était au moment où les cailles passent en Afrique; la terre était couverte d'oiseaux fatigués qui reprenaient des forces avant de traverser la mer. Fidèle n'eut qu'à se baisser pour faire une chasse de prince; repu de gibier, il se coucha aux pieds de Gracieux, et se mit à ronfler.

Quand les buffles eurent fini de ruminer, Gracieux, qui jusque-là avait craint d'être indiscret, engagea la conversation avec le taureau, qui montrait un esprit cultivé et qui avait une grande expérience.

—Êtes-vous, lui demanda-t-il, les maîtres de ce riche domaine?

—Non, répondit le vieux buffle; nous appartenons, comme tout le reste, à la fée Crapaudine, reine des Tours Vermeilles, la plus riche de toutes les fées.

—Qu'exige-t-elle de vous? reprit Gracieux.

—Rien que de porter cet anneau d'or au nez, et de lui payer une redevance de laitage, reprit le taureau; tout au plus de lui donner de temps en temps quelqu'un de nos enfants pour régaler ses hôtes. A ce prix nous jouissons de notre abondance dans une parfaite sécurité; aussi n'avons-nous rien à envier sur la terre; il n'est personne de plus heureux que nous.

—N'avez-vous jamais entendu parler du Château de la Vie et de la Fontaine d'immortalité? dit timidement Gracieux, qui, sans savoir pourquoi, rougissait de faire cette question.

—Chez nos pères, répondit le taureau, il y avait quelques anciens qui parlaient encore de ces chimères; plus sages que nos aïeux, nous savons aujourd'hui qu'il n'y a d'autre bonheur que de ruminer et de dormir.

Gracieux se leva tristement pour se remettre en chemin et demanda ce que c'était que ces tours carrées et rougeâtres qu'il apercevait dans le lointain.

—Ce sont les Tours Vermeilles, répondit le taureau; elles ferment la route; il vous faut passer par le château de Crapaudine pour continuer votre voyage. Vous verrez la fée, mon jeune ami, elle vous offrira l'hospitalité et la fortune. Faites comme vos devanciers, croyez-moi; tous ont accepté les bienfaits de notre maîtresse, tous se sont bien trouvés de renoncer à leurs rêves pour vivre heureux.

—Et que sont-ils devenus? demanda Gracieux.

—Ils sont devenus buffles comme nous, reprit tranquillement le taureau, qui, n'ayant pas achevé sa sieste, baissa la tête et s'endormit.

Gracieux tressaillit et réveilla Fidèle, qui ne se leva qu'en grommelant. Il appela Pensive; Pensive ne répondît pas: elle causait avec une araignée qui avait étendu entre deux branches de frêne une grande toile qui brillait au soleil et qui était pleine de moucherons.

—Pourquoi, disait l'araignée à l'hirondelle, pourquoi ce long voyage? à quoi bon changer de climat et attendre ta vie du soleil, du temps ou d'un maître? Regarde-moi, je ne dépends de personne et tire tout de moi-même. Je suis ma maîtresse, je jouis de mon art et de mon génie: c'est à moi que je ramène le monde, rien ne peut troubler ni mes calculs ni un bonheur que je ne dois qu'à moi seule.

[Illustration: Crapaudine tendit ses quatre doigts au pauvre garçon, qui, par respect, fut obligé de les porter à ses lèvres en s'inclinant.]

Trois fois Gracieux appela Pensive qui ne l'entendait pas; elle était en admiration devant sa nouvelle amie. A chaque instant quelque moucheron étourdi se jetait dans la toile, et chaque fois l'araignée, en hôtesse attentive, offrait la proie nouvelle à sa compagne étonnée, quand tout à coup un souffle passa, un souffle si léger que la plume de l'hirondelle n'en fut pas même effleurée. Pensive chercha l'araignée; la toile était jetée aux vents, et la pauvre bestiole pendait par une patte à son dernier fil, quand un oiseau l'emporta en passant.

VI

Remis en marche, on arriva en silence au palais de Crapaudine; Gracieux fut introduit en grande cérémonie par deux beaux lévriers caparaçonnés de pourpre et portant au cou de larges colliers étincelants de rubis. Après avoir traversé un grand nombre de salles toutes pleines de tableaux, de statues, d'étoffes d'or et de soie, de coffres où l'argent et les bijoux débordaient, Gracieux et ses compagnons entrèrent dans un temple rond qui était le salon de Crapaudine. Les murs en étaient de lapis; la voûte, d'émail azuré, était soutenue par douze colonnes cannelées en or massif, qui portaient pour chapiteaux des feuilles d'acanthe en émail blanc bordées d'or. Sur un large fauteuil de velours était placé un crapaud gros comme un lapin: c'était la déesse du lieu. Drapée dans un grand manteau d'écarlate tout bordé de paillettes éclatantes, l'aimable Crapaudine avait sur la tête un diadème de rubis dont l'éclat animait un peu ses grosses joues marbrées de jaune et de vert. Sitôt qu'elle aperçut Gracieux, elle lui tendit ses quatre doigts tout couverts de bagues; le pauvre garçon fut obligé, par respect, de les porter à ses lèvres en s'inclinant.

—Mon ami, lui dit la fée avec une voix rauque qu'elle essayait d'adoucir, je t'attendais, je ne veux pas être moins généreuse pour toi que ne l'ont été mes soeurs. En venant jusqu'à moi, tu as vu une faible part de mes richesses. Ce palais avec ses tableaux, ses statues, ses coffres pleins d'or, ces domaines immenses, ces troupeaux innombrables, tout cela est à toi, si tu veux; il ne tient qu'à toi d'être le plus riche et le plus heureux des hommes.

—Que faut-il faire pour cela? demanda Gracieux tout ému.

—Moins que rien, répondit la fée: me hacher en cinquante morceaux et me manger à belles dents. Ce n'est pas là chose effrayante, ajouta-t-elle avec un sourire; et, regardant Gracieux avec des yeux encore plus rouges que de coutume, Crapaudine se mit à baver agréablement.

—Peut-on au moins vous assaisonner? dit Pensive, qui n'avait pu regarder sans envie les beaux jardins de la fée.

—Non, dit Crapaudine, il faut me manger toute crue; mais on peut se promener dans mon palais, regarder et toucher tous mes trésors, et se dire qu'en me donnant cette preuve de dévouement on aura tout.

—Maître, soupira Fidèle d'une voix suppliante, un peu de courage, nous sommes si bien ici!

Pensive ne disait rien, mais son silence était un aveu. Quant à Gracieux, qui songeait aux buffles et à l'anneau d'or, il se défiait de la fée; Crapaudine le devina.

—Ne crois pas, lui dit-elle, que je veuille te tromper, mon cher Gracieux. En t'offrant tout ce que je possède, je te demande aussi un service que je veux dignement récompenser. Quand tu auras accompli l'oeuvre que je te propose, je deviendrai une jeune fille, belle comme Vénus, sinon qu'il me restera mes mains et mes pieds de crapaud. C'est peu de chose quand on est riche. Déjà dix princes, vingt marquis, trente comtes me supplient de les épouser telle que je suis; devenue femme, c'est à toi que je donnerai la préférence, nous jouirons ensemble de mon immense fortune. Ne rougis pas de ta pauvreté, tu as sur toi un trésor qui vaut tous les miens: c'est le flacon que t'a donné ma soeur; et elle étendit ses doigts visqueux pour saisir le talisman.

—Jamais, cria Gracieux en reculant, jamais! Je ne veux ni du repos ni de la fortune; je veux sortir d'ici et aller au Château de la Vie.

—Tu n'iras jamais, misérable! s'écria la fée en furie.

Tout aussitôt le temple disparut; un cercle de flammes entoura Gracieux, une horloge invisible commença de sonner minuit.

Au premier coup, le voyageur tressaillit; au second, et sans hésiter, il se jeta à corps perdu au milieu des flammes. Mourir pour sa grand'mère, n'était-ce pas pour Gracieux le seul moyen de lui témoigner son repentir et son amour?

VII

A la surprise de Gracieux, le feu s'écarta sans le toucher; il se trouva tout à coup dans un pays nouveau avec ses deux compagnons auprès de lui.

Ce pays, ce n'était plus l'Italie; c'était une Russie, c'était la fin de la terre. Gracieux était égaré sur une montagne couverte de neige. Autour de lui il ne voyait que de grands arbres couverts de frimas et qui égouttaient l'eau de toutes leurs branches; un brouillard humide et pénétrant le glaçait jusqu'aux os; la terre détrempée s'enfonçait sous ses pieds; pour comble de misère, il lui fallait descendre une pente rapide au bas de laquelle on entendait un torrent qui se brisait avec fracas sur les rochers. Gracieux prit son poignard et coupa une branche d'arbre pour soutenir ses pas incertains. Fidèle, la queue entre les jambes, jappait faiblement; Pensive ne quittait pas l'épaule de son maître, ses plumes hérissées se couvraient de petits glaçons. La pauvre bête était à demi morte, mais elle encourageait Gracieux et ne se plaignait pas.

Quand, après des peines infinies, on fut arrivé au bas de la montagne, Gracieux trouva un fleuve couvert de glaçons énormes qui se heurtaient les uns contre les autres et tournoyaient dans le courant. Ce fleuve, il fallait le passer, sans pont, sans barque, sans secours.

—Maître, dit Fidèle, je n'irai pas plus loin. Que maudite soit la fée qui m'a mis à votre service et tiré du néant!

Ayant dit cela, il se coucha par terre et ne bougea plus; Gracieux essaya en vain de lui rendre du courage, et l'appela son compagnon et son ami. Tout ce que put faire le pauvre chien, ce fut de répondre une dernière fois aux caresses de son maître en remuant la queue, en lui léchant les mains; puis ses membres se raidirent, il expira.

Gracieux chargea Fidèle sur son dos pour l'emporter au Château de la Vie, et monta résolument sur un glaçon, toujours suivi de Pensive. Avec son bâton il poussa ce frêle radeau jusqu'au milieu du courant, qui l'emporta avec une effroyable rapidité.

—Maître, disait Pensive, entendez-vous le bruit de la mer? Nous allons à l'abîme qui va nous dévorer! Donnez-moi une dernière caresse, et adieu!

—Non, disait Gracieux; pourquoi les fées m'auraient-elles trompé? Peut-être le rivage est-il près d'ici; peut-être au-dessus du nuage y a-t-il le soleil. Monte, monte, ma bonne Pensive, peut-être au-dessus du brouillard trouveras-tu la lumière et verras-tu le Château de la Vie.

Pensive déploya ses ailes à demi gelées, et courageusement elle s'éleva au milieu du froid et de la brume. Gracieux suivit un instant le bruit de son vol; puis le silence se fit, tandis que le glaçon continuait sa course furieuse au travers de la nuit. Longtemps Gracieux attendit; mais, enfin, quand il se sentit seul, l'espoir l'abandonna; il se coucha pour attendre la mort sur le glaçon qui vacillait. Parfois un éclair livide traversait le nuage; on entendait d'horribles coups de tonnerre: on eût dit la fin du monde et du temps. Tout à coup, dans son désespoir et son abandon, Gracieux entendit le cri de l'hirondelle: Pensive tomba à ses pieds.

—Maître, maître, dit-elle, vous aviez raison; j'ai vu la rive, l'aurore est là-haut: courage!

Disant cela, elle ouvrit convulsivement ses ailes épuisées et resta sans mouvement et sans vie.

Gracieux, qui s'était relevé en sursaut, mit sur son coeur le pauvre oiseau qui s'était sacrifié pour lui, et, avec une ardeur surhumaine, il poussa le glaçon en avant pour trouver enfin le salut ou la perte. Soudain il reconnut le bruit de la mer qui accourait en grondant. Il tomba à genoux et ferma les yeux en attendant la mort.

Une vague haute comme une montagne lui fondit sur la tête, et le jeta tout évanoui sur le rivage où nul vivant n'avait abordé avant lui.

[Illustration: Pensive ouvrit convulsivement ses ailes épuisées, et resta sans mouvement et sans vie.]

VIII

Quand Gracieux reprit ses sens, il n'y avait plus ni glaces, ni nuages, ni ténèbres: il avait échoué sur le sable dans un pays riant, où les arbres baignaient dans une lumière pure. En face de lui était un beau château d'où s'échappait une source jaillissante qui se jetait à gros bouillons dans une mer bleue, calme, transparente, comme le ciel. Gracieux regarda autour de lui; il était seul, seul avec les restes de ses deux amis, que le flot avait portés au rivage. Fatigué de tant de souffrances et d'émotions, il se traîna jusqu'au ruisseau, et, se penchant sur l'onde pour y rafraîchir ses lèvres desséchées, il recula d'effroi. Ce n'était pas sa figure qu'il avait vue dans l'eau, c'était celle d'un vieillard en cheveux blancs qui lui ressemblait. Il se retourna... derrière lui il n'y avait personne... Il se rapprocha de la fontaine: il revit le vieillard, ou, plutôt, nul doute, le vieillard c'était lui. «Grandes fées, s'écria-t-il, je vous comprends; c'est ma vie que vous avez voulue pour celle de ma grand'mère, j'accepte avec joie le sacrifice!» Et, sans plus s'inquiéter de sa vieillesse et de ses rides, il plongea la tête dans l'onde et but avidement.

En se relevant, il fut tout étonné de se revoir tel que le jour où il avait quitté la maison paternelle: plus jeune, les cheveux plus noirs, les yeux plus vifs que jamais. Il prit son chapeau tombé près de la source et qu'une goutte d'eau avait touché par hasard. O surprise! le papillon qu'il y avait attaché battait des ailes et cherchait à s'envoler. Gracieux courut à la plage pour y prendre Fidèle et Pensive; il les plongea dans la bienheureuse fontaine. Pensive s'échappa en poussant un cri de joie, et alla se perdre dans les combles du château. Fidèle, secouant l'eau de ses deux oreilles, courut aux écuries du palais, d'où sortirent de magnifiques chiens de garde qui, au lieu d'aboyer et de sauter après le nouveau venu, lui firent fête et l'accueillirent comme un vieil ami. C'était la fontaine d'immortalité qu'avait enfin trouvée Gracieux, ou plutôt c'était le ruisseau qui s'en échappait, ruisseau déjà très affaibli, et qui donnait tout au plus deux ou trois cents ans de vie à ceux qui y buvaient; mais rien n'empêchait de recommencer.

Gracieux emplit son flacon de cette eau bienfaisante et s'approcha du palais. Le coeur lui battait, car il lui restait une dernière épreuve; si près de réussir, on craint bien plus d'échouer. Il monta le perron du château; tout était fermé et silencieux; il n'y avait personne pour recevoir le voyageur. Quand il fut à la dernière marche, près de frapper à la porte, une voix plutôt douce que sévère l'arrêta.

—As-tu aimé? disait la voix invisible.

—Oui, répondit Gracieux; j'ai aimé ma grand-mère plus que tout au monde.

La porte s'ouvrit de façon qu'on y eût passé la main.

—As-tu souffert pour celle que tu as aimée? reprit la voix.

—J'ai souffert, dit Gracieux, beaucoup par ma faute sans doute, mais un peu pour celle que je veux sauver.

La porte s'ouvrit à moitié, l'enfant aperçut une perspective infinie: des bois, des eaux, un ciel plus beau que tout ce qu'il avait rêvé.

—As-tu toujours fait ton devoir? reprit la voix d'un ton plus dur.

—Hélas! non, reprit Gracieux en tombant à genoux; mais, quand j'y ai manqué, j'ai été puni par mes remords plus encore que par les rudes épreuves que j'ai traversées. Pardonnez-moi, et, si je n'ai pas encore expié toutes mes fautes, châtiez-moi comme je le mérite; mais sauvez ce que j'aime, gardez-moi ma grand'mère.

Aussitôt la porte s'ouvrit à deux battants sans que Gracieux vit personne. Ivre de joie, il entra dans une cour entourée d'arcades garnies de feuillage; au milieu était un jet d'eau qui sortait d'une touffe de fleurs plus belles, plus grandes, plus odorantes que celles de la terre. Près de la source était une femme vêtue de blanc, de noble tournure, et qui ne semblait pas avoir plus de quarante ans; elle marcha au-devant de Gracieux et le reçut avec un sourire si doux, que l'enfant se sentit touché jusqu'au fond du coeur et que les larmes lui vinrent aux yeux.

—Ne me reconnais-tu pas? dit la dame à Gracieux.

—O mère-grand, est-ce vous? s'écria-t-il: comment êtes-vous au Château de la Vie?

—Mon enfant, lui dit-elle en le serrant contre son sein, celle qui m'a portée ici est une fée plus puissante que les fées des eaux et des bois. Je ne retournerai plus à Salerne; je reçois ici la récompense du peu de bien que j'ai fait, en goûtant un bonheur que le temps ne tarira pas.

—Et moi, grand'mère, s'écria Gracieux, que vais-je devenir? Après vous avoir vu ici, comment retourner là-bas dans la solitude?

—Cher fils, répondit-elle, on ne peut plus vivre sur la terre quand on a entrevu les célestes délices de cette demeure. Tu as vécu, mon bon Gracieux; la vie n'a plus rien à t'apprendre. Plus heureux que moi, tu as traversé en quatre jours ce désert où j'ai langui quatre-vingts ans: désormais rien ne peut plus nous séparer.

La porte se referma; depuis lors on n'a jamais entendu parler ni de Gracieux ni de sa grand'mère. C'est en vain que dans la Calabre le roi de Naples a fait rechercher le palais et la fontaine enchantés; on ne les a jamais retrouvés sur la terre. Mais, si nous entendions le langage des étoiles, si nous sentions ce qu'elles nous disent, chaque soir, en nous versant leur doux rayon, il y a longtemps qu'elles nous auraient appris où est le Château de la Vie et la Fontaine d'immortalité.

IX

Nunziata avait achevé son récit que je l'écoutais encore; j'admirais ces yeux où éclatait une foi naïve dans les merveilles que sa mère lui avait récitées; je suivais le geste de ces petites mains qui semblaient peindre les hommes et les choses.

—Eh bien! Excellence, me cria le pêcheur, vous ne dites rien? La marchesina vous a charmé comme elle en a charmé tant d'autres. C'est qu'aussi ce ne sont pas là des contes; nous vous montrerons à Salerne la maison de Gracieux.

—C'est bien, patron, lui répondis-je un peu honteux de m'être amusé de pareilles fables. L'enfant conte agréablement, et, pour l'en remercier, dès que nous serons à terre, je veux lui acheter un chapelet d'ivoire avec de gros grains d'argent.

Elle rougit de plaisir, je l'embrassai, ce qui la rendit plus rouge encore, tandis que le père me regardait et tournait vers ses compagnons des yeux brillants de joie.

—Demain, dit-il, demain, si vous le permettez, Excellence, elle vous récitera une histoire plus belle encore, et qui vous fera rire et pleurer.

Le lendemain, nous allions d'Almalfi à Salerne, et Nunziata... Mais ceci est un secret que je garde pour l'an prochain, si le conte de Gracieux n'a pas trop ennuyé le lecteur.